RENÉ FAGUERET - ROBERT R...
GEORGES LAURENT

Professeurs d'enseignement manuel et techn...
de la Ville de Paris

_____

80 PORTES
EN BOIS

Ouvrage présenté

par

Henri VERGNOLLE
Architecte du Gouvernement
Ancien Président
du Conseil Municipal de Paris

4e Édition

Reprint 2011

EYROLLES
Éditeur - Paris

ÉDITIONS EYROLLES
61, bd Saint-Germain
75240 Paris Cedex 05
www.editions-eyrolles.com

Des mêmes auteurs :

64 croisées, portes-fenêtres, volets, persiennes en bois, 1961 - reprint 2011
100 portes de propriétés, barrières, clôtures, balcons, passerelles, puits en bois, 1963 - reprint 2011

Cet ouvrage est un reprint de l'ouvrage *80 portes en bois, 4e édition* (1961).
© Groupe Eyrolles, 1953-1961-2011
Tous droits réservés.
ISBN : 978-2-212-12907-6

TABLE DES MATIÈRES

Préface V

Portes simples
{
intérieures à panneaux pleins................... I à 7
— à 2 parements .... 8 à 10
— vitrées........................... II à 21
extérieures de pavillon........................ 22 à 36
}

Portes à double vantail
{
intérieures à panneaux pleins................... 37 à 39
— vitrées........................... 40 à 45
— de vestibule .... 46 à 49
— de palier .... 50 à 58
extérieures tiercées de pavillon .... 59 à 61
— bâtardes .... 62 à 67
}

Portes cochères .... 68 à 72

Portes de garage et de remise .... 73 à 78

Portes charretières .... 79 à 80

PRÉFACE

L'art du menuisier est un art à la fois savant et délicat.

SAVANT, car il nécessite une connaissance approfondie des qualités des bois mis en œuvre, de leur résistance, de leur comportement à l'usage, de leurs qualités et de leurs défauts.

Le menuisier est appelé à faire des ouvrages qui soient à la fois solides et légers, car ils doivent — et c'est le cas des portes — être manœuvrés facilement et résister à l'usage.

Selon qu'ils sont employés à l'intérieur ou à l'extérieur, ils seront d'essences différentes.

Les assemblages seront faits de telle manière qu'ils ne porteront pas atteinte à la solidité de l'ensemble.

DÉLICAT, car, en général près de l'œil et à la portée de la main, le travail ne souffre aucune imperfection, l'œil voit les défauts, le contact et la caresse de la main les décèlent au toucher !

La mouluration doit donner une impression de richesse tout en restant proportionnée à la dimension de l'ouvrage, les profils doivent être soigneusement étudiés.

En un mot, la menuiserie ne souffre pas la médiocrité.

$$*\atop*\,*$$

La menuiserie est un art dérivé de la charpente. Il semble bien que jusqu'au XIIIᵉ siècle les mêmes ouvriers pratiquaient à la fois l'art de la charpenterie et l'art de la menuiserie : les outils étaient les mêmes, la scie, la hache, la gouge et aussi la varlope et la demi-varlope, autrement dit le rabot.

Les assemblages étaient à mi-bois, à queues d'aronde, assurés par des barres embrevées et, bien entendu, toujours chevillés, des pentures en ferronnerie viennent souvent les renforcer.

Ce n'est guère que vers le XVe siècle qu'on se servit de rainures et de languettes.

Qui n'a admiré dans nos vieux monuments de l'époque gothique ou de la Renaissance de magnifiques lambris, des portes, des chaires à prêcher, conçus avec art et exécutés avec une science consommée de la qualité des bois et des nécessités de leur mise en œuvre, sans oublier les plafonds à caissons ou les parquets à compartiments dont il reste encore de si beaux exemples.

Le goût varie avec les époques, mais toujours au cours des siècles, la menuiserie reste un grand art.

***

Cet ouvrage est consacré à la « Porte ».

MM. René FAGUERET, Robert ROY, Georges LAURENT, *professeurs d'Enseignement manuel et technique de la Ville de Paris sont non seulement d'habiles ouvriers capables de concevoir, de composer le dessin d'un ouvrage de menuiserie et de l'exécuter de leurs mains, mais ils enseignent le métier à nos jeunes élèves des Écoles de la Ville de Paris.*

Grâce à eux et à leurs collègues de toutes les Écoles : parisiennes ou provinciales, l'avenir de cette belle profession est assuré, les traditions sont maintenues.

Il faut seulement souhaiter qu'à notre époque utilitaire, obligée de compter et par conséquent de prévoir seulement l'indispensable, succède une période plus riche où les connaissances de nos jeunes gens pourront s'épanouir dans l'exécution d'ouvrages dignes des grandes époques.

***

Qu'est-ce qu'une Porte ?

Porte — en latin Porta *— veut dire ouverture.*

L'ouvrage qui ferme cette ouverture en a pris le nom, que ce soit la porte en bronze du Temple, la porte massive en bois de la fortification, bardée de fer, la porte solide qui clôt la maison familiale ou la simple porte légère qui ferme une pièce d'habitation.

On trouvera dans ce recueil, des portes extérieures à un ou deux vantaux : portes bâtardes, portes cochères, des portes intérieures à un, deux ou plusieurs vantaux, vitrées ou non, des portes de garages, des portes de clôture, avec non seulement le dessin qui fixe l'apparence de la porte — son visage — mais aussi les détails de sa construction : les assemblages, les coupes, le ferrage.

L'Entrepreneur, l'Artisan, l'Ouvrier qui auront à répondre à la demande d'un client pourront s'inspirer des exemples contenus dans ces planches.

L'Architecte pourra aussi y trouver des idées qui animeront son esprit créateur.

Ce n'est pas une nouveauté, bien sûr, que de publier un recueil d'ouvrages de menuiserie.

Il y a d'illustres exemples : ROUBO, JAMIN, *etc...*

Mais il y a déjà longtemps — les événements qui désorganisent l'activité humaine depuis quarante ans bientôt, n'y sont pas étrangers, on s'en doute un peu — que le « point » n'avait pas été fait dans ce domaine.

De tous temps, des recueils du genre de celui-ci ont été publiés et ont connu le succès.

En plus de la valeur utilitaire qu'ils peuvent avoir pour les techniciens que nous énumérons plus haut, ils ont également une grande valeur d'enseignement pour les jeunes élèves de nos écoles techniques, les apprentis et les jeunes ouvriers qui veulent s'instruire et se perfectionner dans le métier qu'ils ont choisi.

Ils peuvent rendre des services aux professeurs, aux chefs d'atelier, qui y puiseront des renseignements, des sujets de travaux, peut-être de concours pour leurs élèves et qui y trouveront aussi matière à enrichir leurs connaissances personnelles, à confronter avec leurs propres conceptions, à comparer, à critiquer peut-être, ce qui est toujours un moyen d'enrichir son propre fonds et d'élargir son horizon personnel.

C'est sans doute parce qu'ils savent que l'Architecte que je suis n'est pas trop ignorant, par tradition familiale, de l'usage de la scie, du riflard ou de la varlope, du rabot ou du bouvet, du trusquin, du bédane ou du ciseau... et aussi de la manière de faire chauffer la colle que les auteurs MM. FAGUERET ROY *et* LAURENT, *ainsi que les Éditions* EYROLLES, *m'ont demandé d'écrire cette préface de leur « Recueil de 80 portes ».*

Ils m'ont fait un grand honneur dont je leur suis obligé.

Je souhaite le grand succès qu'il mérite à cet important ouvrage.

Henri VERGNOLLE.
Paris, juillet 1953.

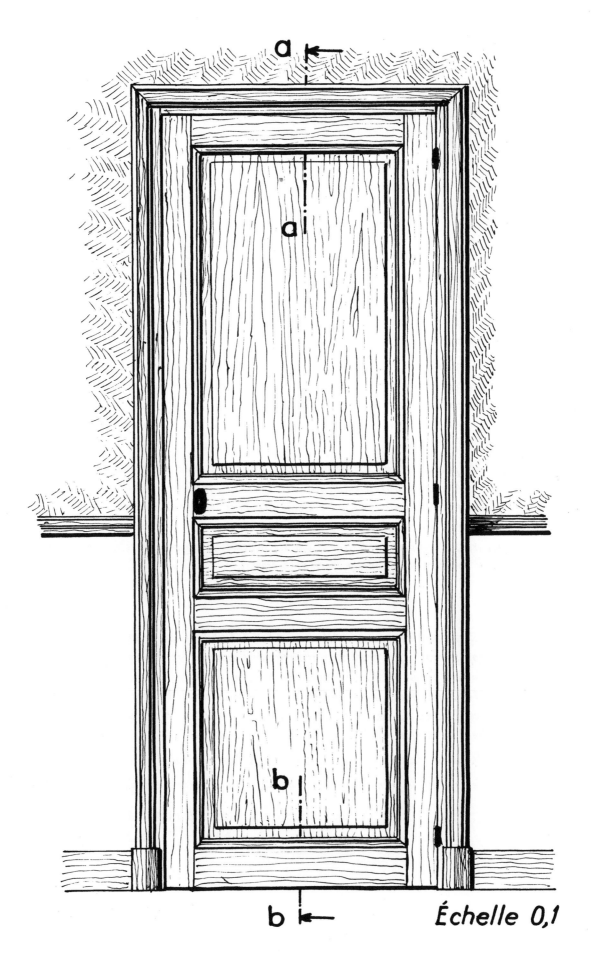

a

a

b

b

Échelle 0,1

1

Section a

Section b

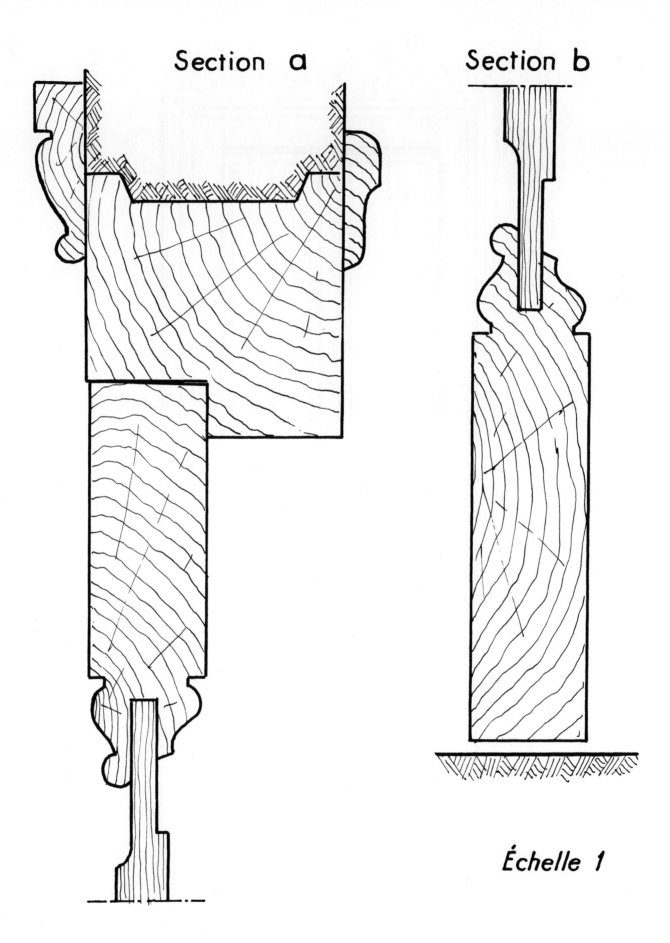

Échelle 1

a

2

a

b   b

Échelle 0,1

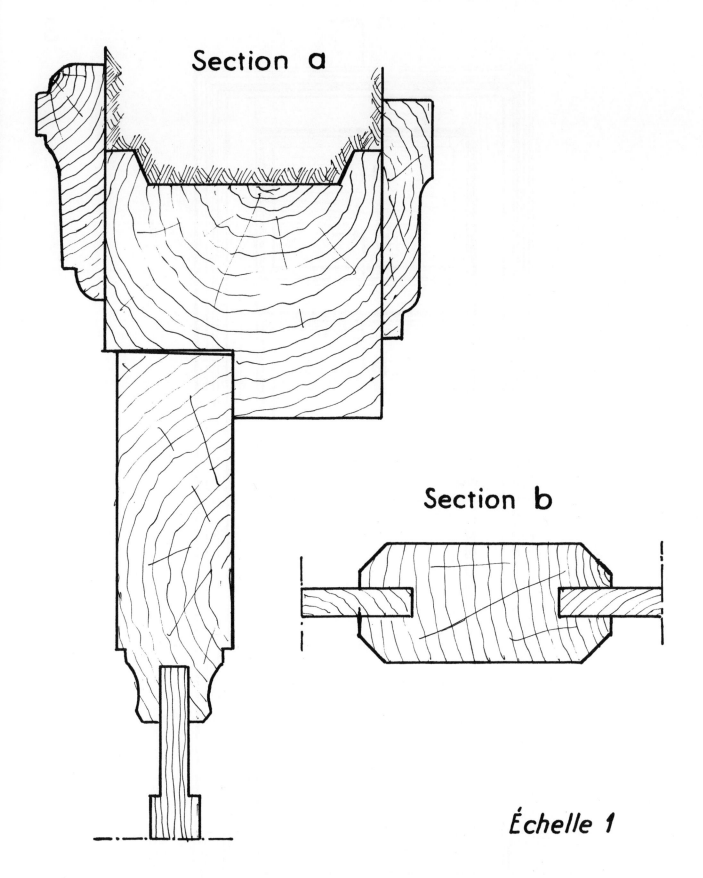

Section a

Section b

Échelle 1

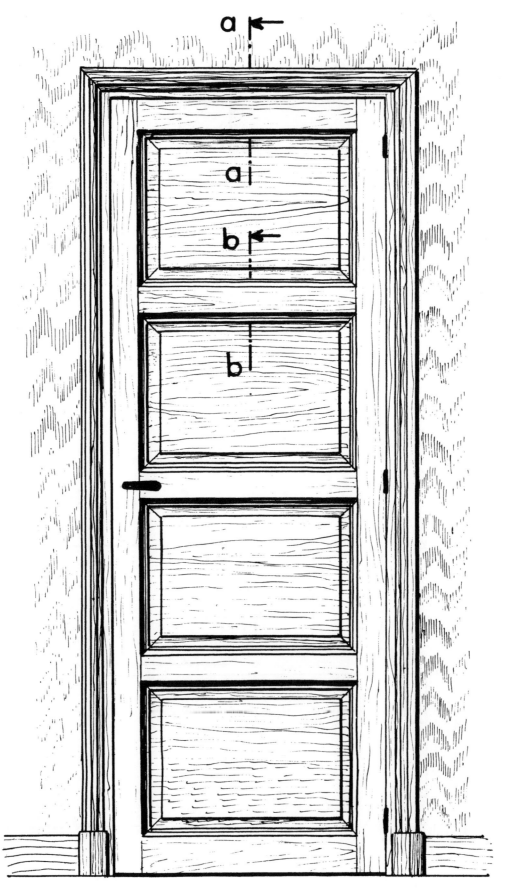

3

Échelle 0,1

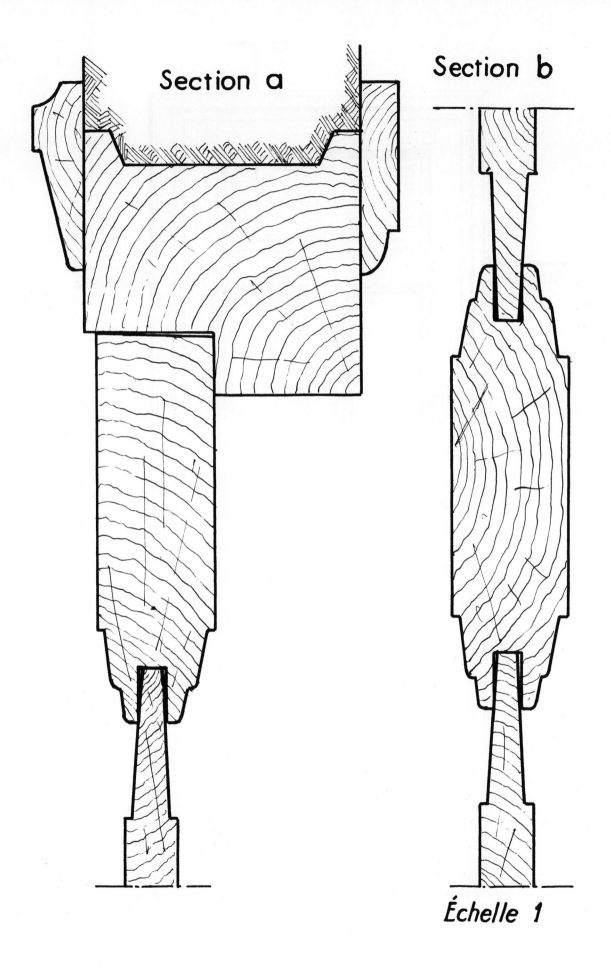

Section a

Section b

Échelle 1

a

4

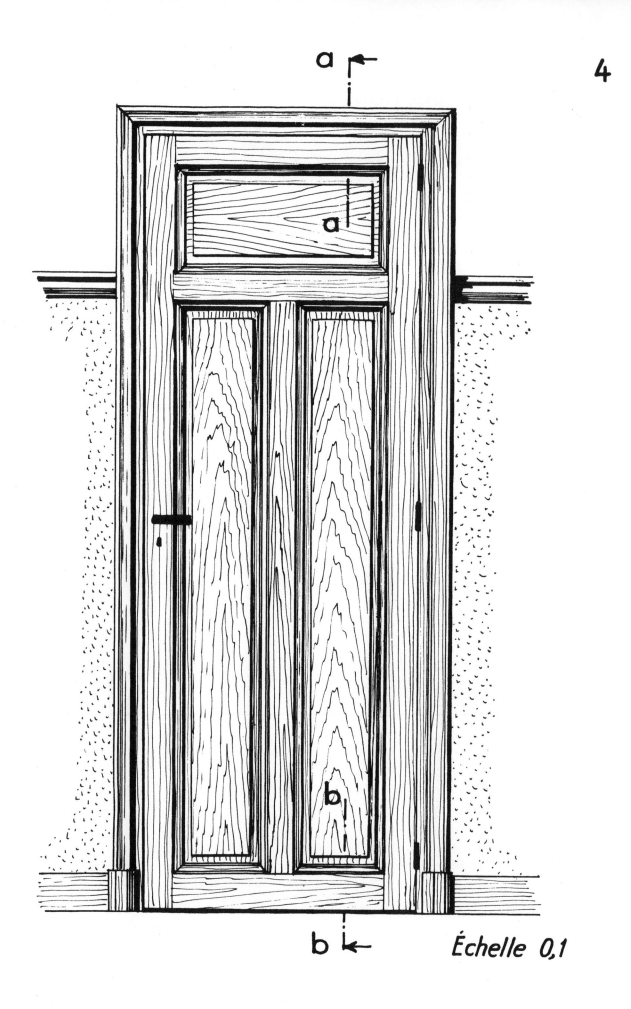

a

b

b

Échelle 0,1

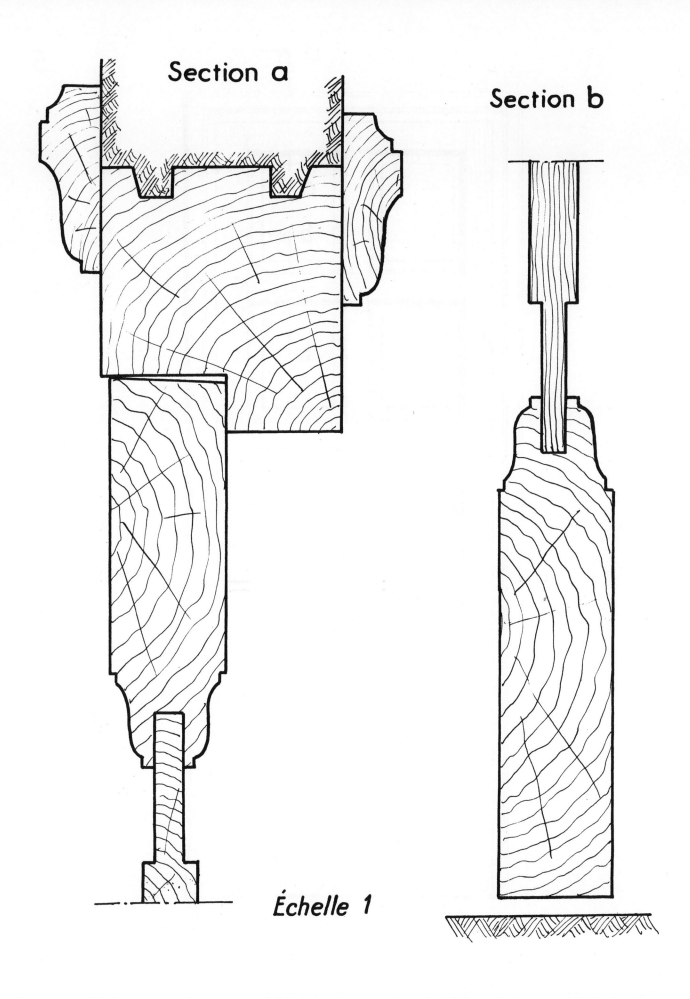

Section a

Section b

Échelle 1

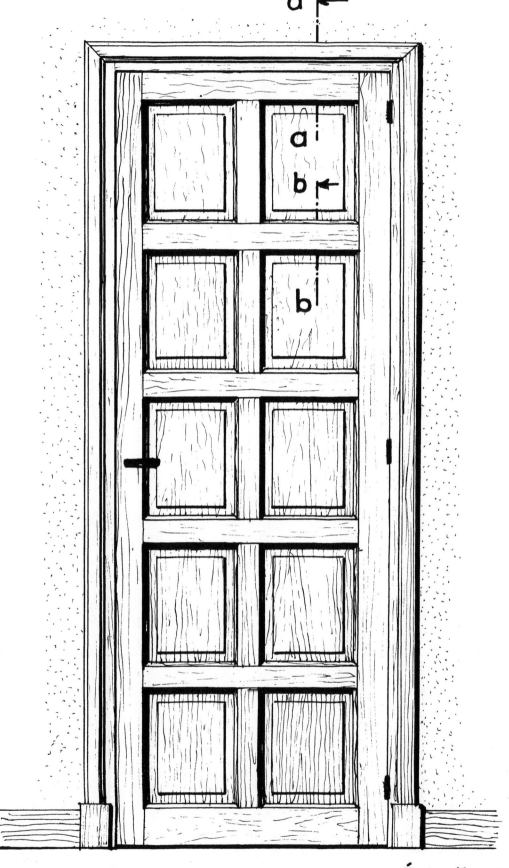

a

5

a

b

b

Échelle 0,1

Section a

Section b

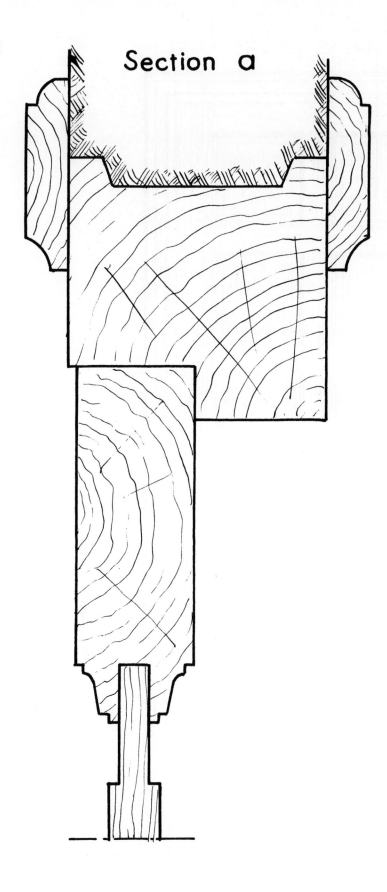
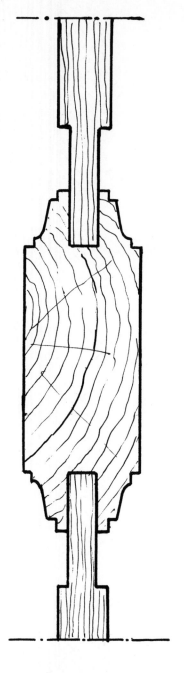

Échelle 1

6

a

a

b

b

Échelle : 0,1

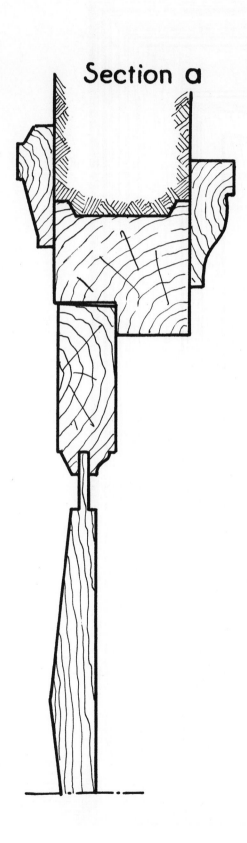

Section a

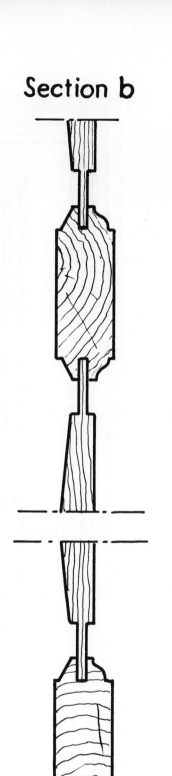

Section b

Échelle 0,5

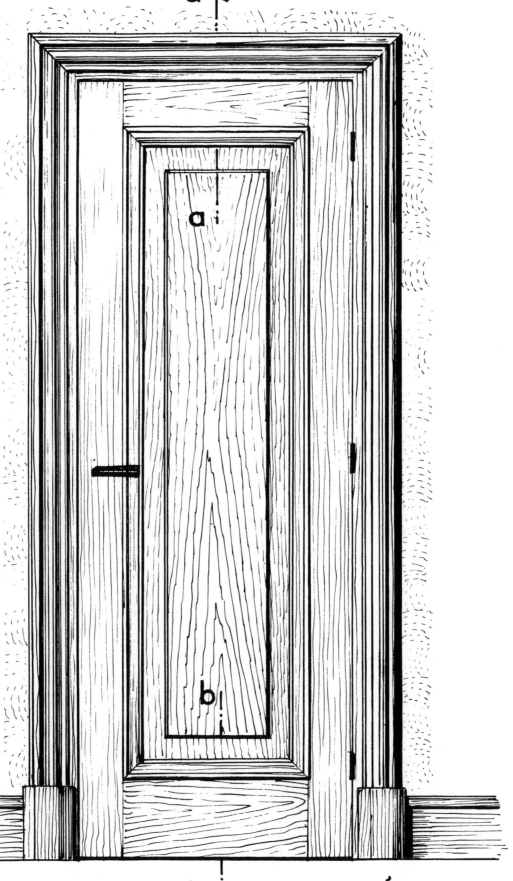

Échelle 0,1

Section a

Section b

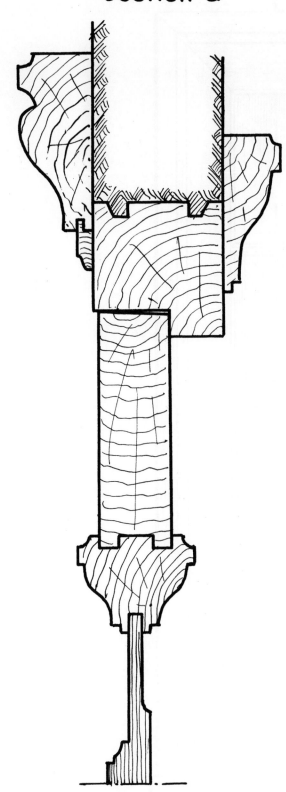

Échelle 0,5

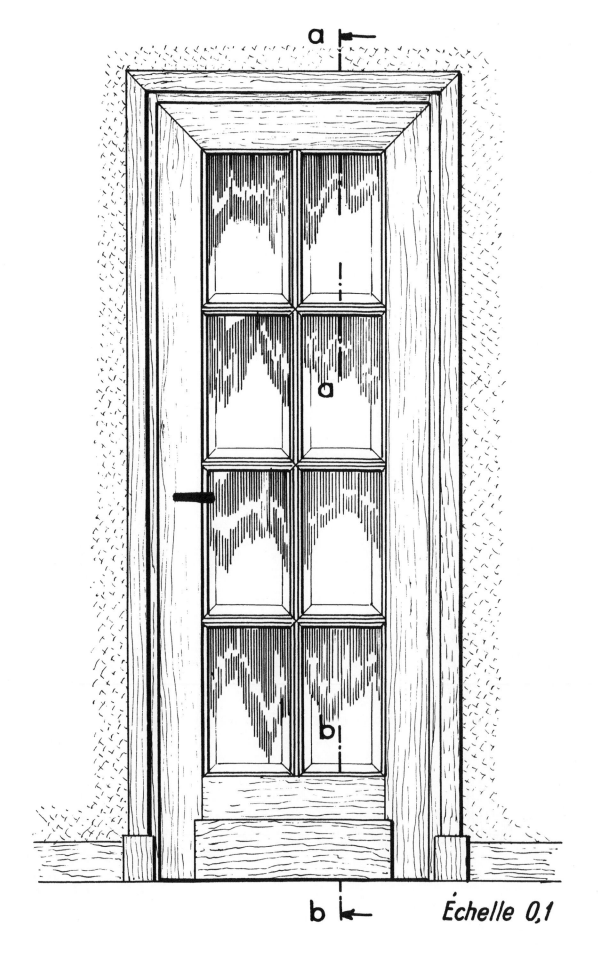

a

a

b

b

Échelle 0,1

Coupe a

Section b

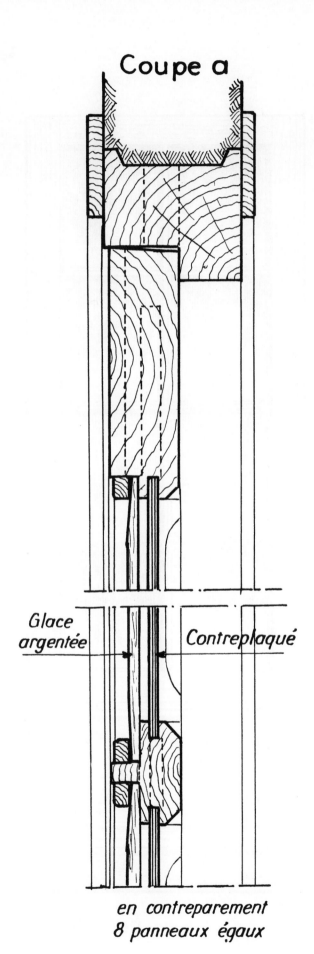

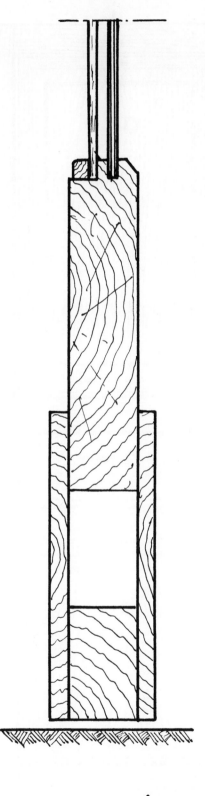

Glace
argentée

Contreplaqué

en contreparement
8 panneaux égaux

Échelle 0,5

a

9

a

b

b

c

c

Échelle 0,1

Section a

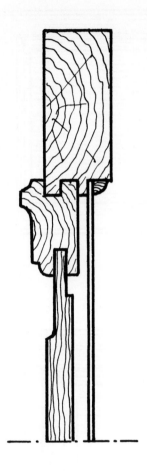

Section b

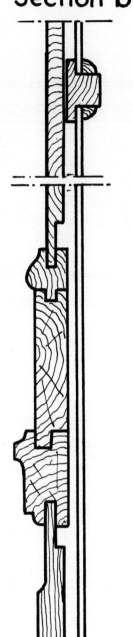

Section c

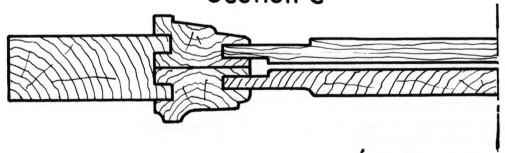

Échelle 0,5

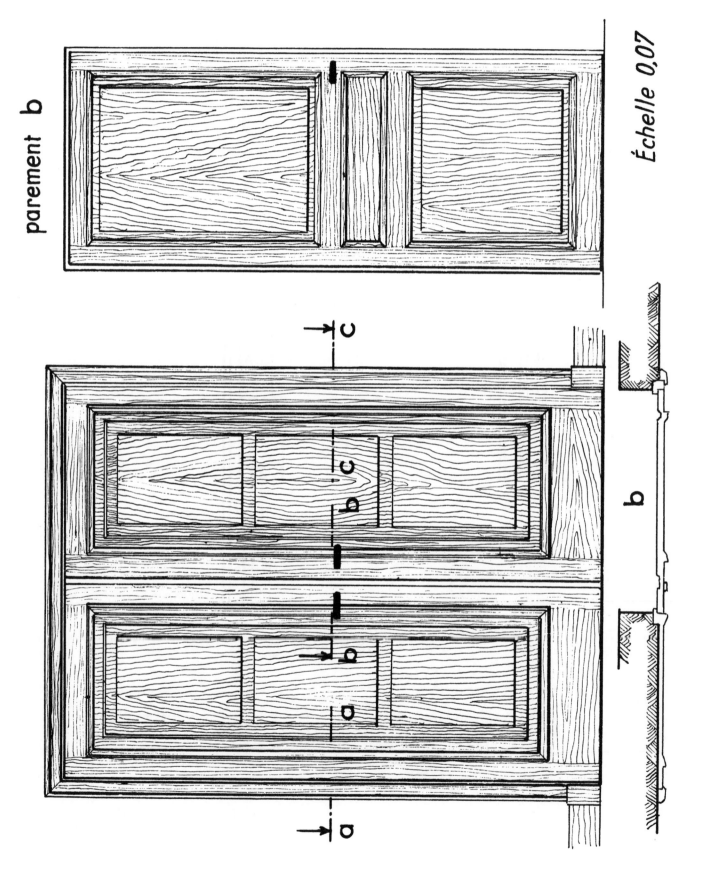

10

parement b

Échelle 0,07

Section a

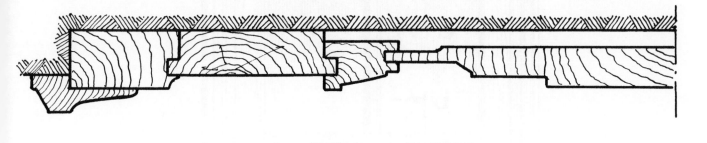

Section b

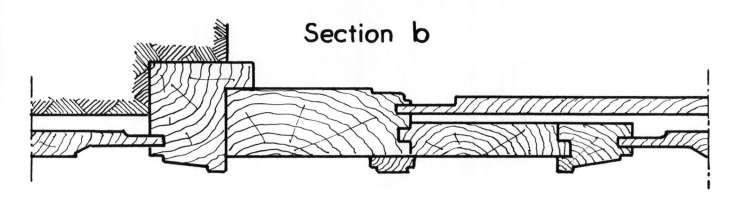

Section c

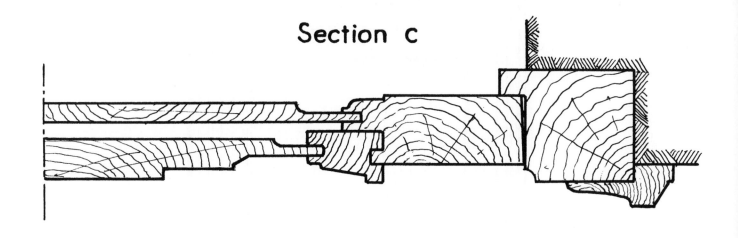

Échelle 0,5

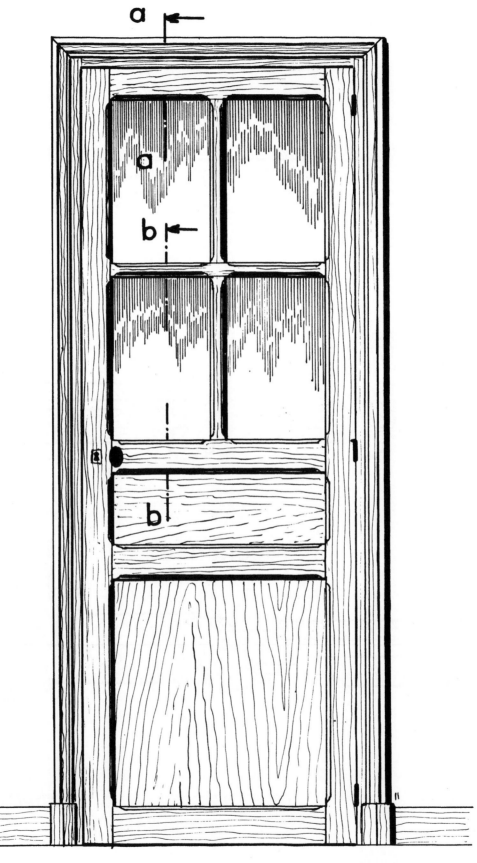

Coupe a

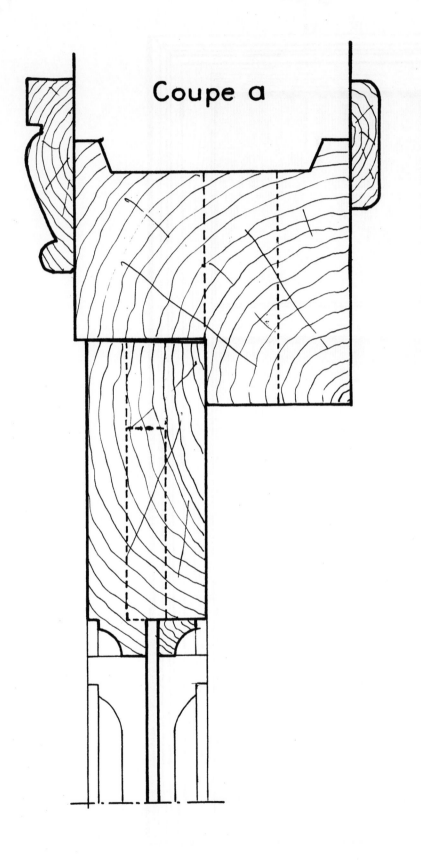

Section b

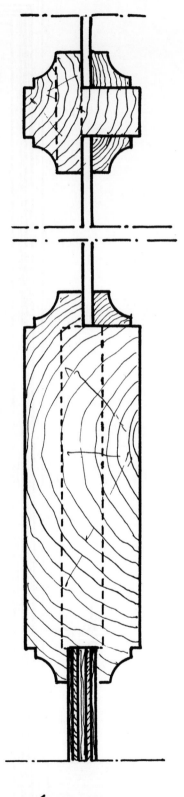

Échelle 1

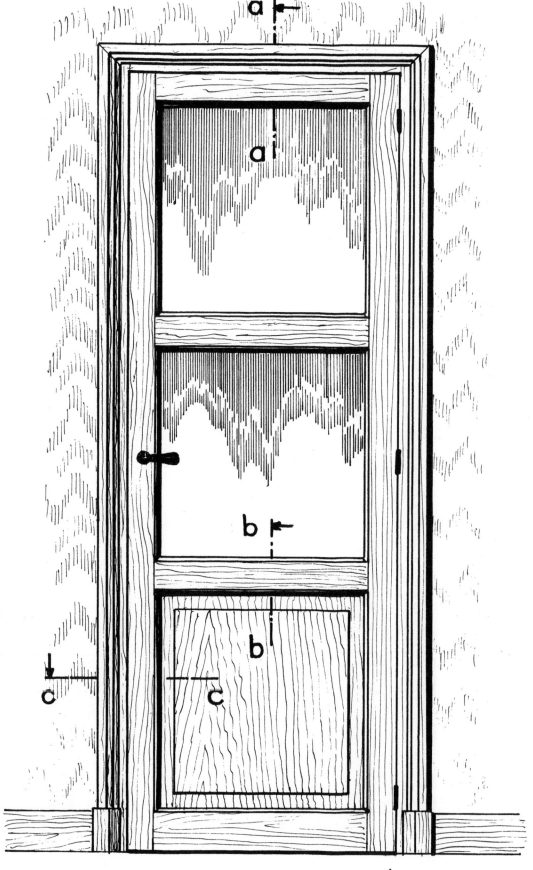

a

a

b

c

b

c

12

Échelle 0,1

Section a

Section b

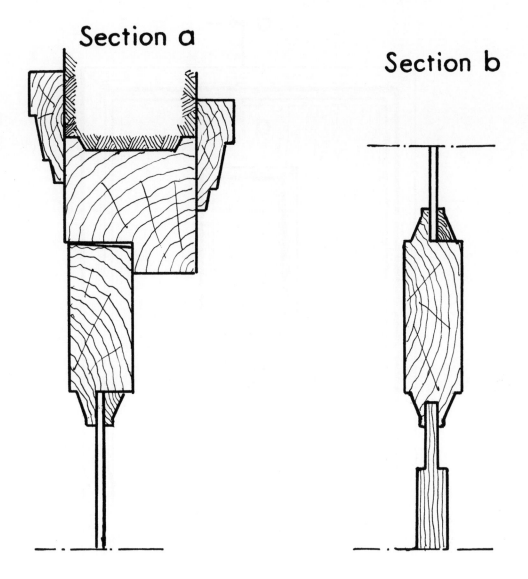

Section c

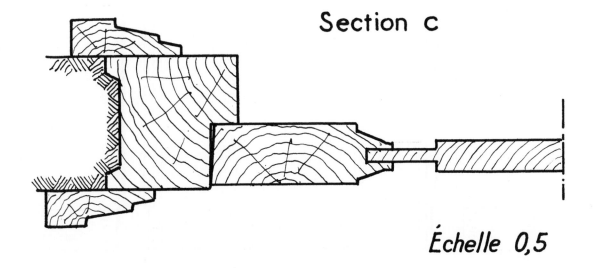

Échelle 0,5

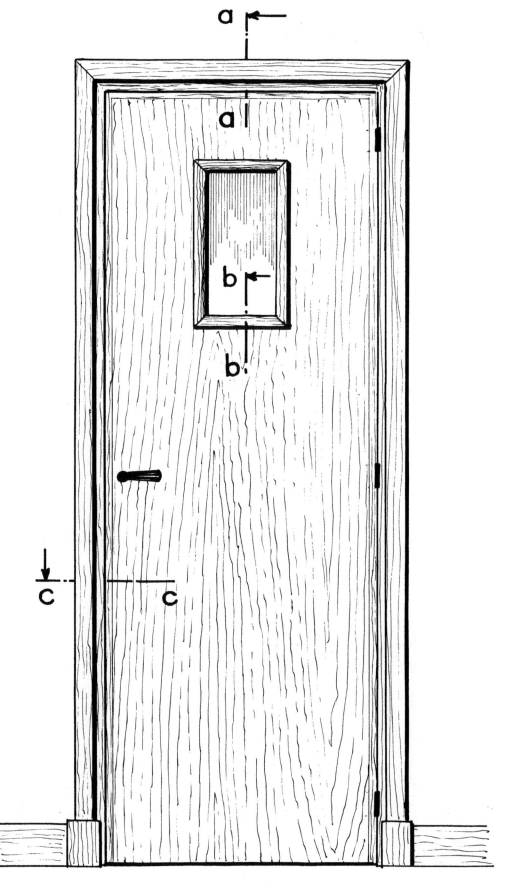

a

a

b

b

c   c

Échelle 0,1

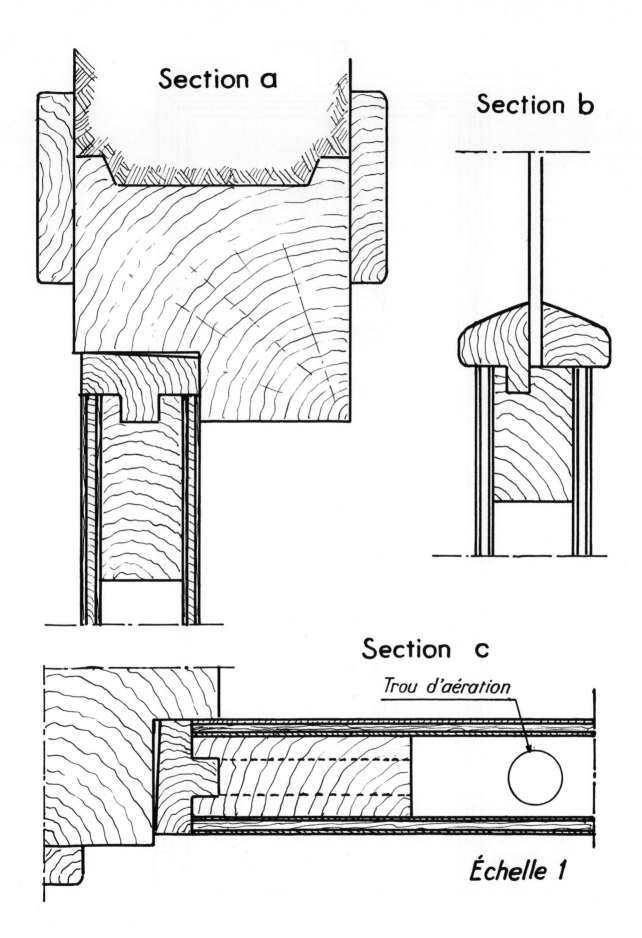

Section a

Section b

Section c

Trou d'aération

Échelle 1

a

a
b

b

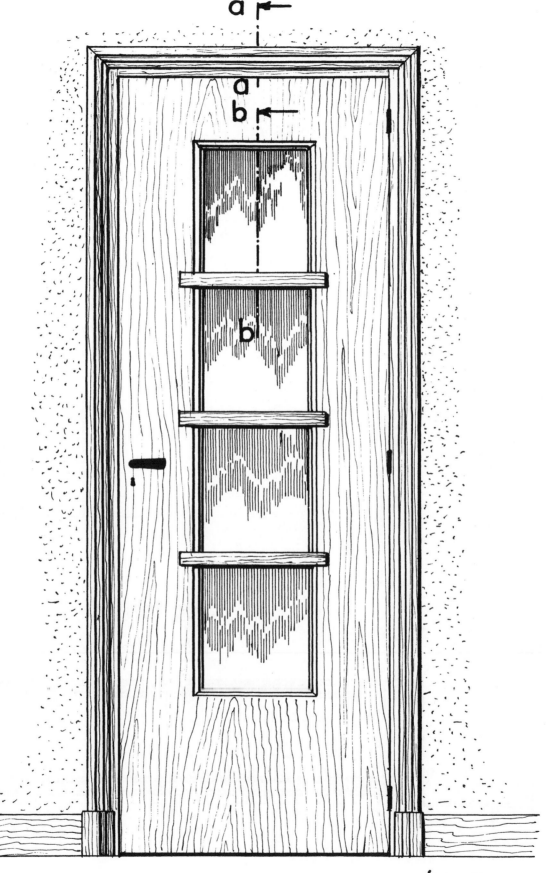

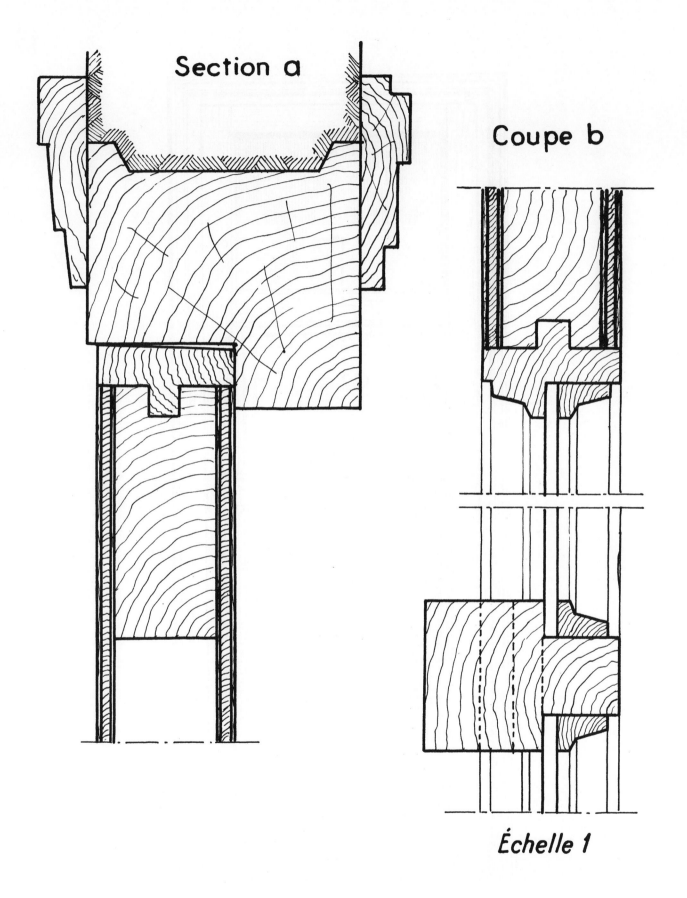

Section a

Coupe b

Échelle 1

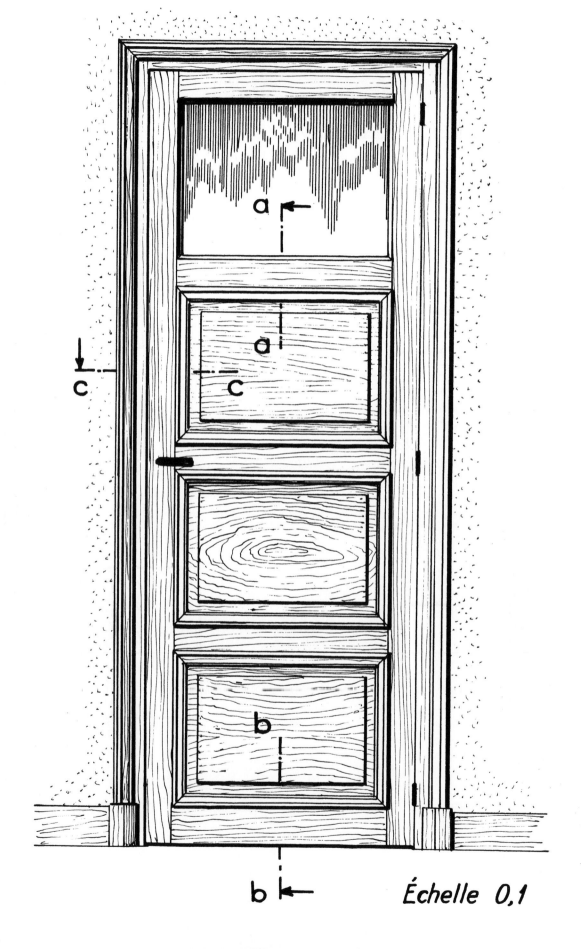

Échelle 0,1

Section a

Section b

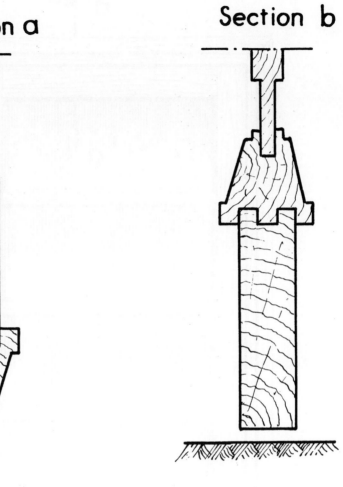

Section c

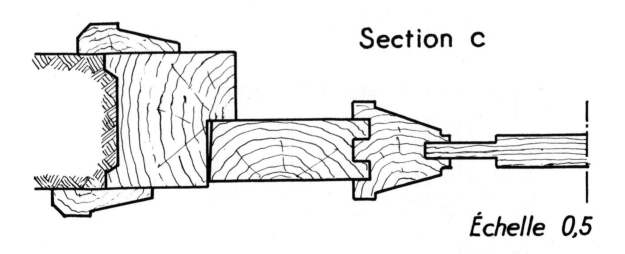

Échelle 0,5

a

16

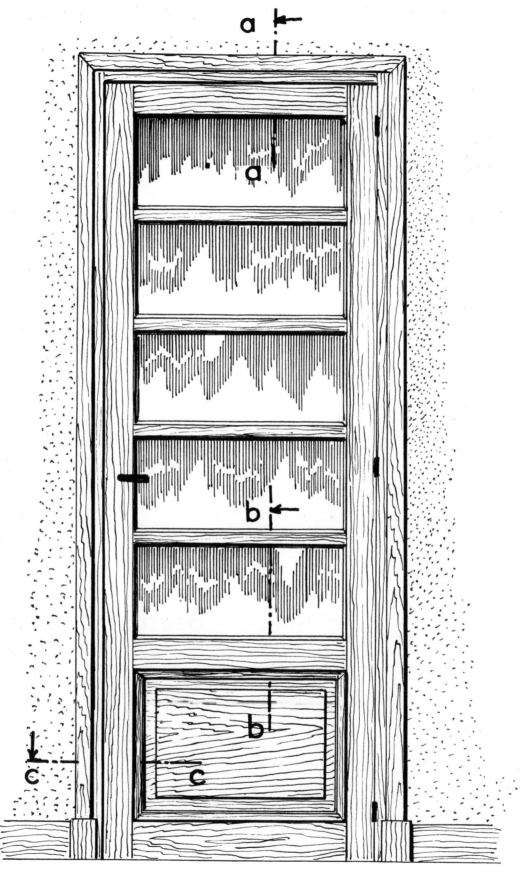

a

b

b

c

c

Échelle 0,1

Section a

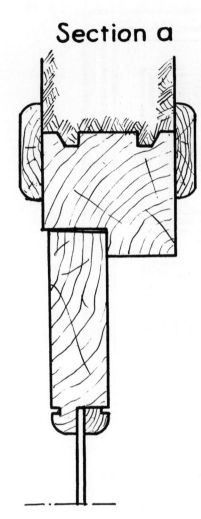

Section b

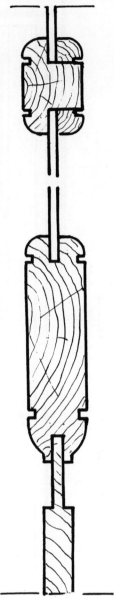

Section c

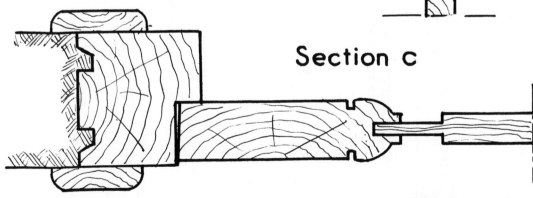

Échelle 0,5

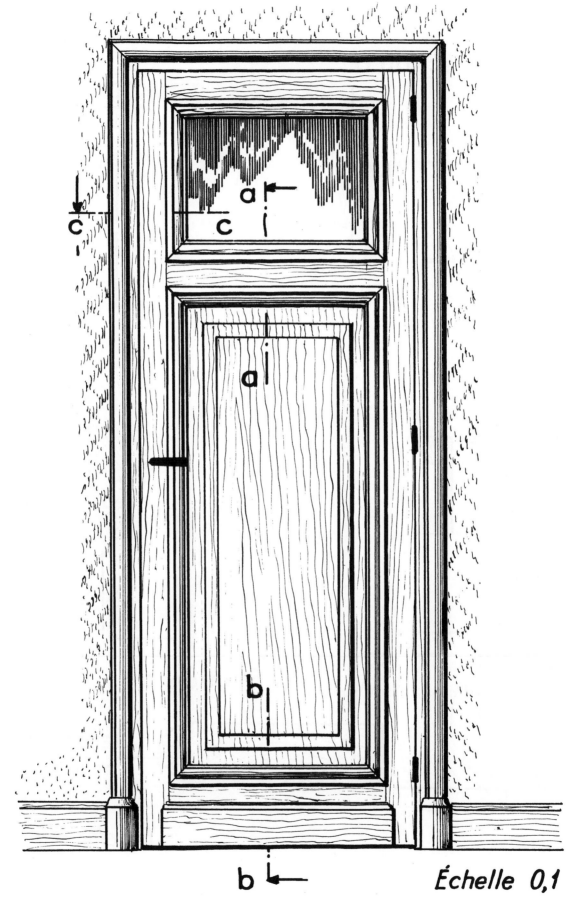

17

a

c

c

a

a

b

b

b

Échelle 0,1

Section a

Section b

Section c

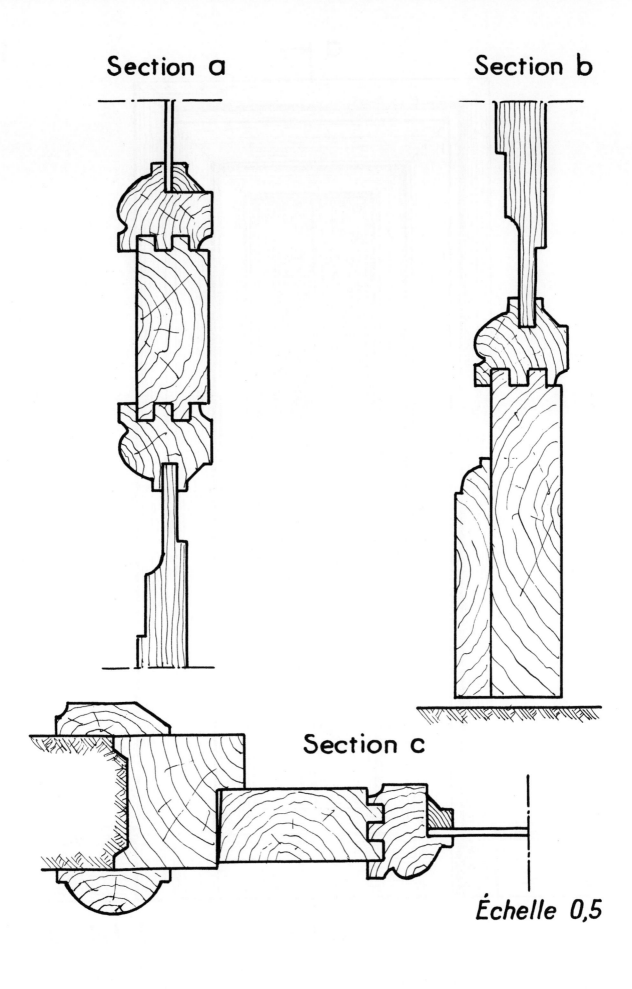

Échelle 0,5

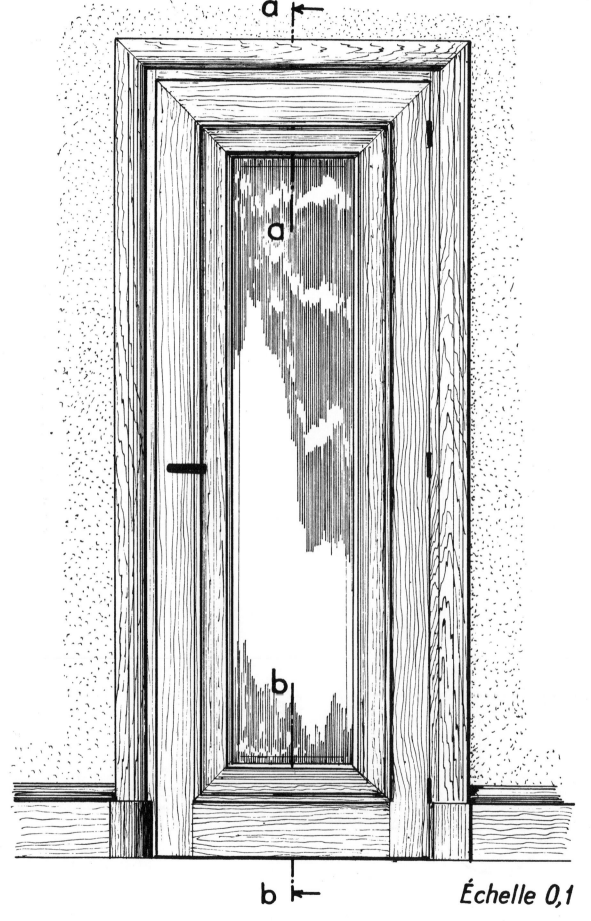

a

a

b

b

18

Échelle 0,1

Section a

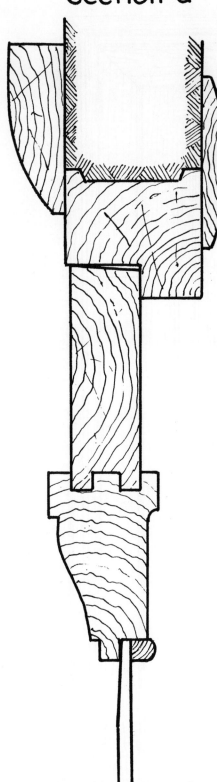

Section b

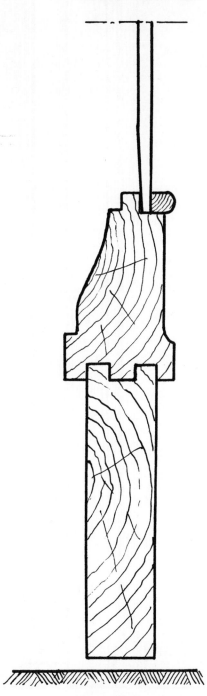

Échelle 0,5

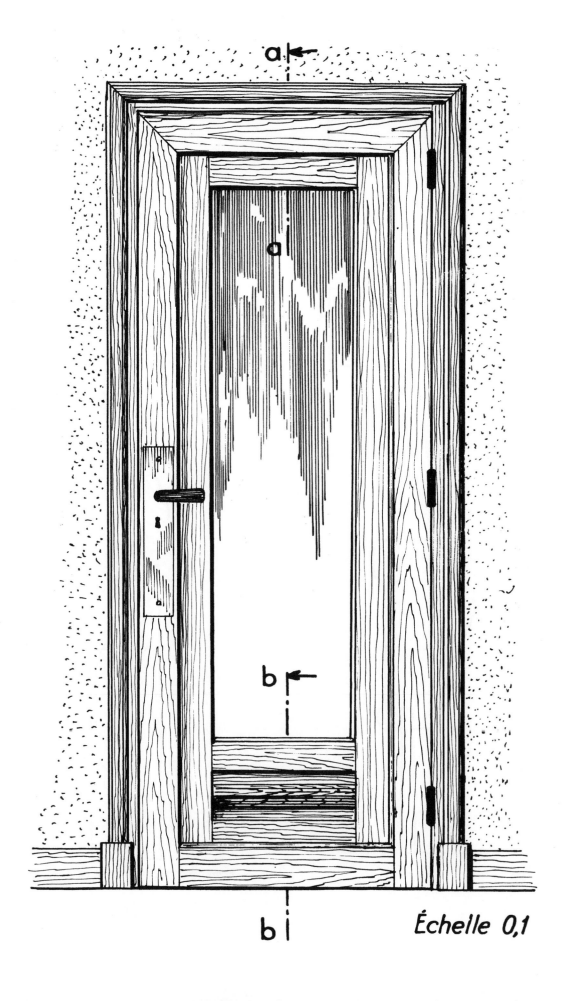

a

a

b

b

Échelle 0,1

Coupe a

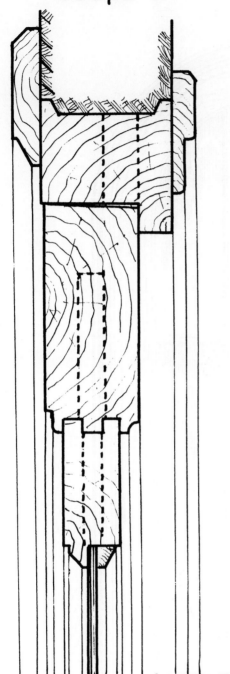

Coupe b

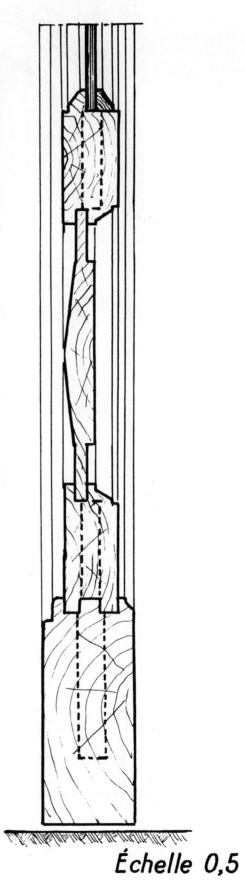

Échelle 0,5

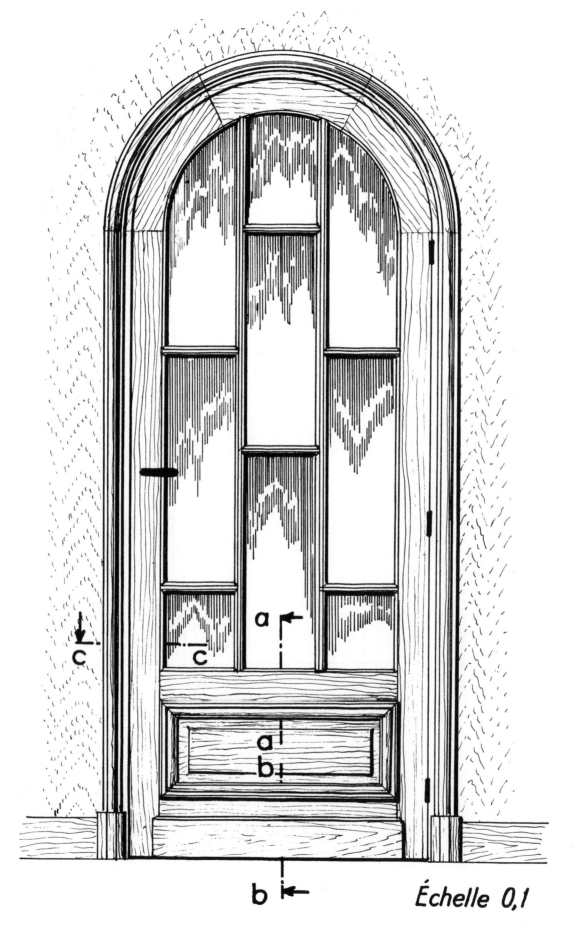

a

c

c

a
b

b

Échelle 0,1

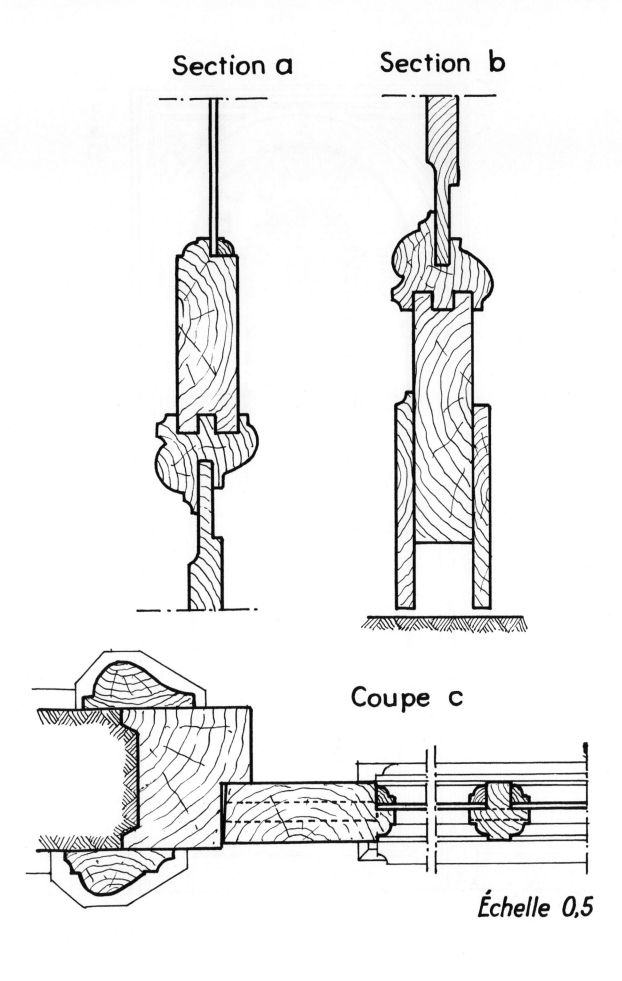

Section a
Section b
Coupe c

Échelle 0,5

21

Échelle 0,1

Porte cintrée dans une baie rectangulaire

Section a

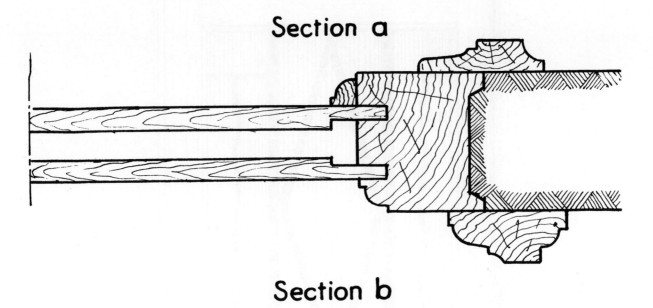

Section b

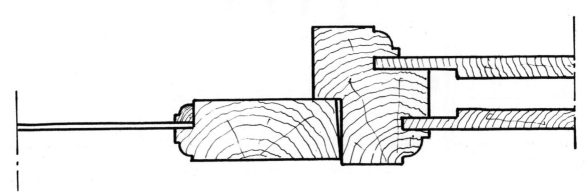

Section c

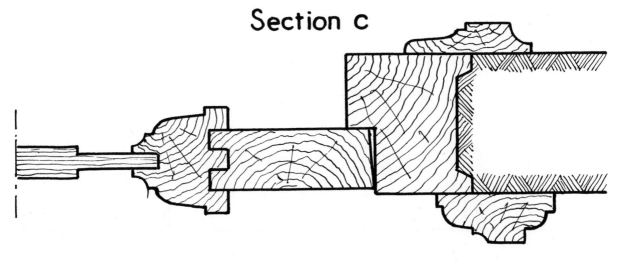

Échelle 0,5

Échelle 0,1

Section a

Section b

Le panneau est en fibre agglomérée genre RENITEX ou ISOREL plaqué sur les 2 faces soit d'une plaque chêne de 4 mm , soit d'un contre plaqué chêne 1 face de 4 mm.

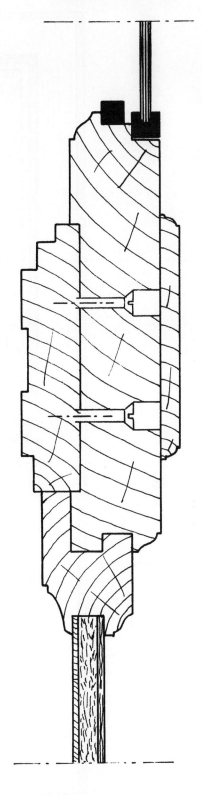

Échelle : 0,5

23

Échelle 0,1

Coupe a

Coupe b

Coupe c

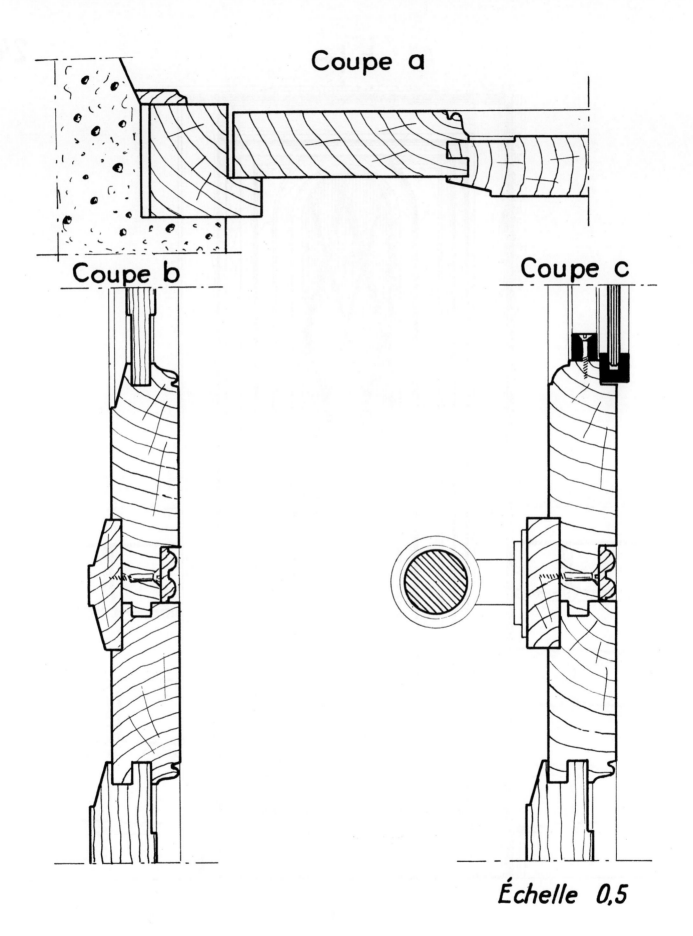

Échelle 0,5

24

b |←

a |←

a |←

Échelle 0,1

Section a

Section b

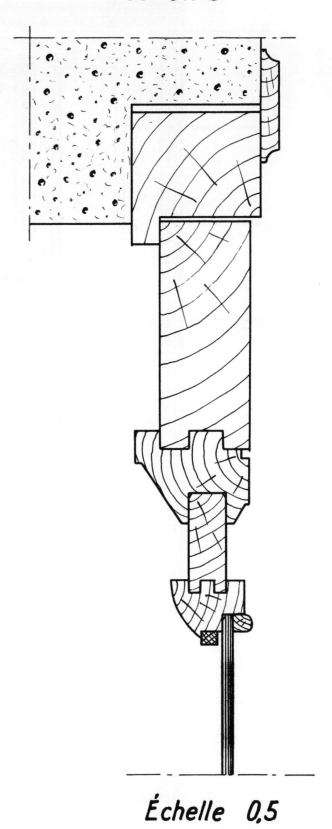

Échelle   0,5

25

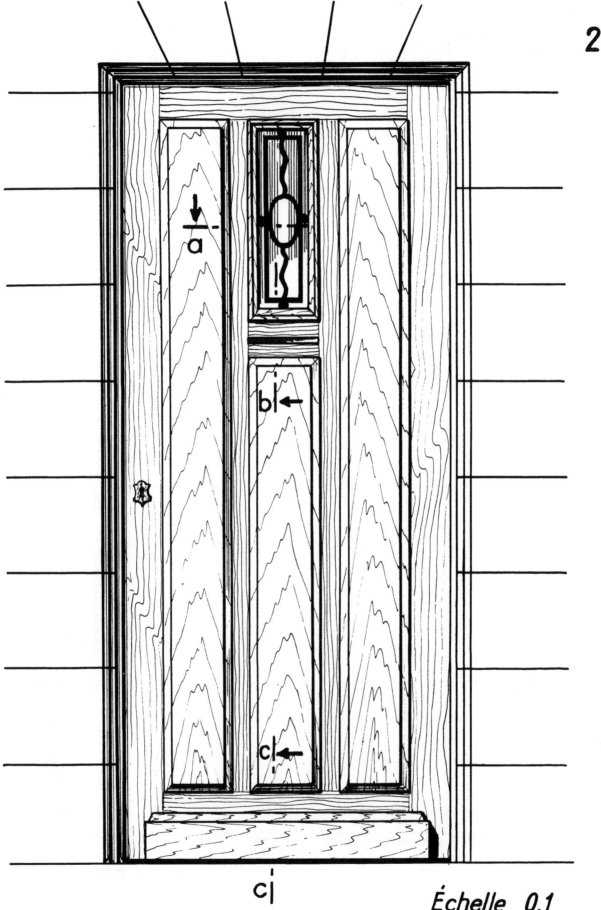

Échelle 0,1

Coupe a

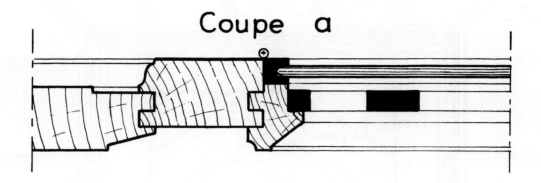

Coupe b

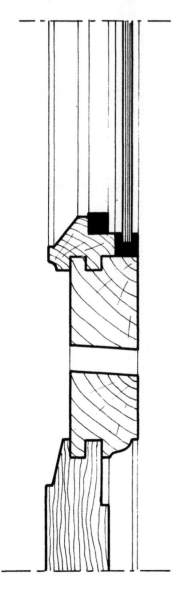

Coupe c

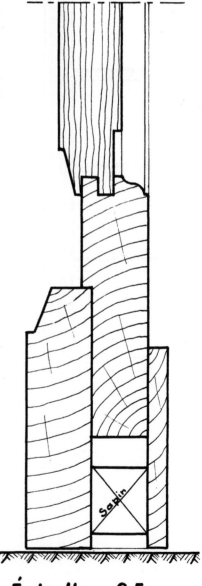

Ferrage sur bâti
A.F.N.O.R. = 61 x 61

NF_P23_422 Avril 1945

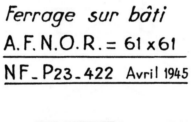

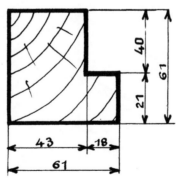

40

61

21

43

18

61

Sapin

Échelle 0,5

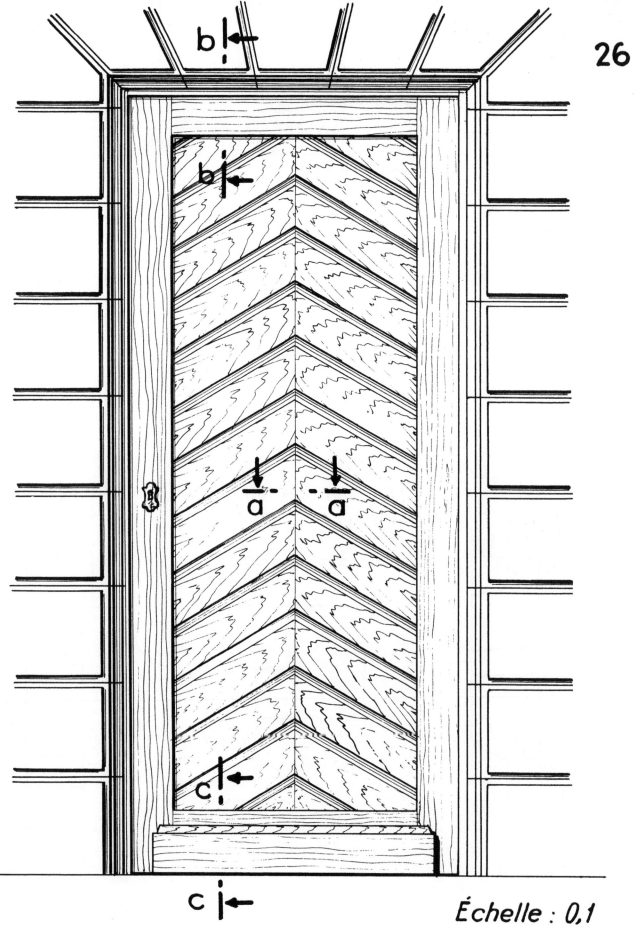

26

Échelle : 0,1

Section a

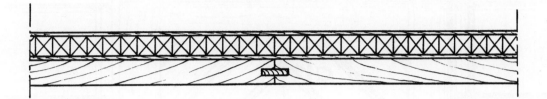

Section b

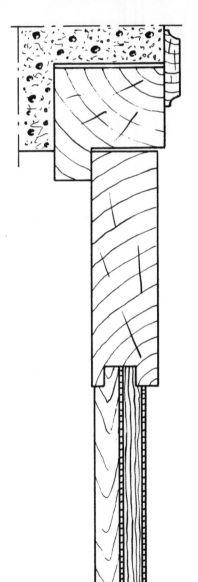

Vue arrière montrant la disposition des baguettes recouvrant les têtes de vis 3 par Frises

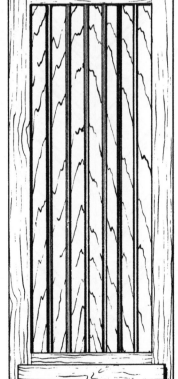

Section c

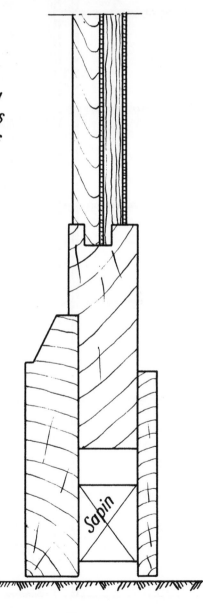

Sapin

Échelle 0,5

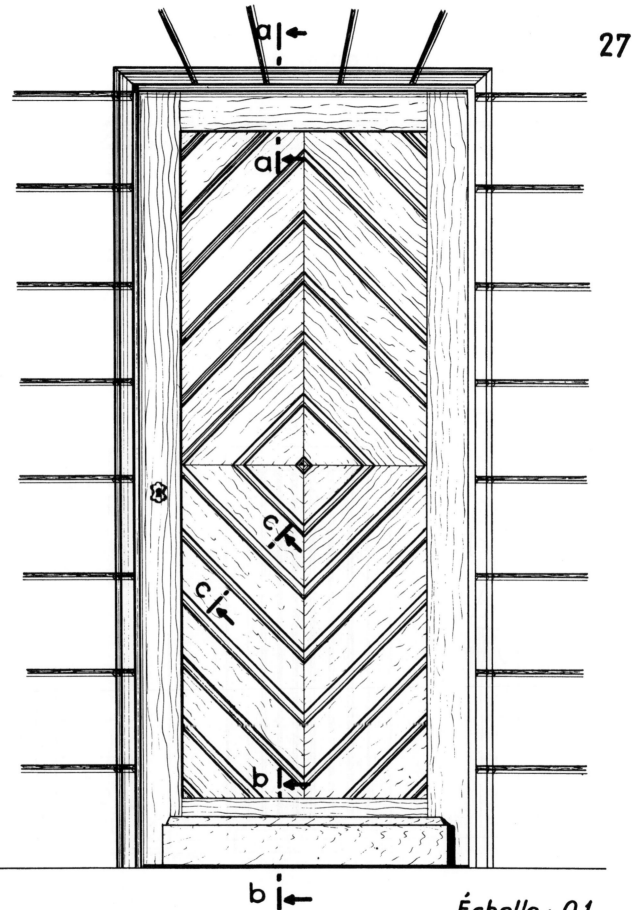

Échelle : 0,1

Section c

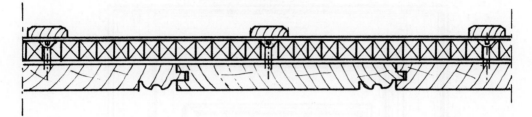

Section a

Section b

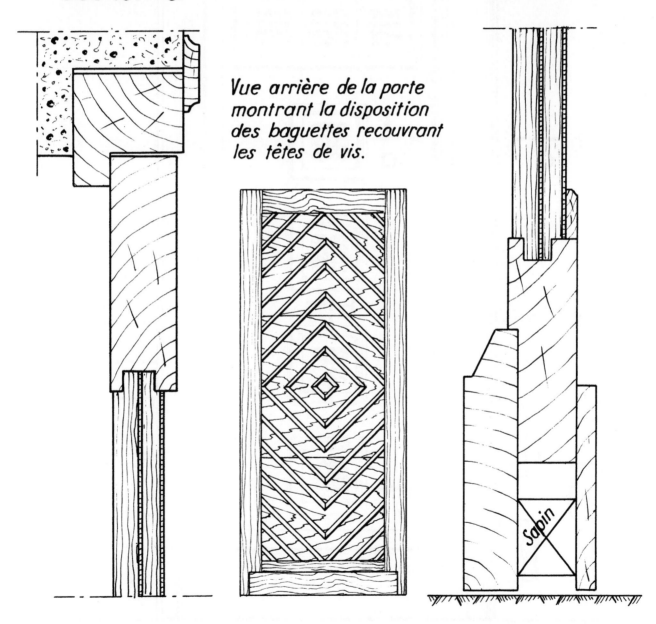

*Vue arrière de la porte
montrant la disposition
des baguettes recouvrant
les têtes de vis.*

Sapin

Échelle : 0,5

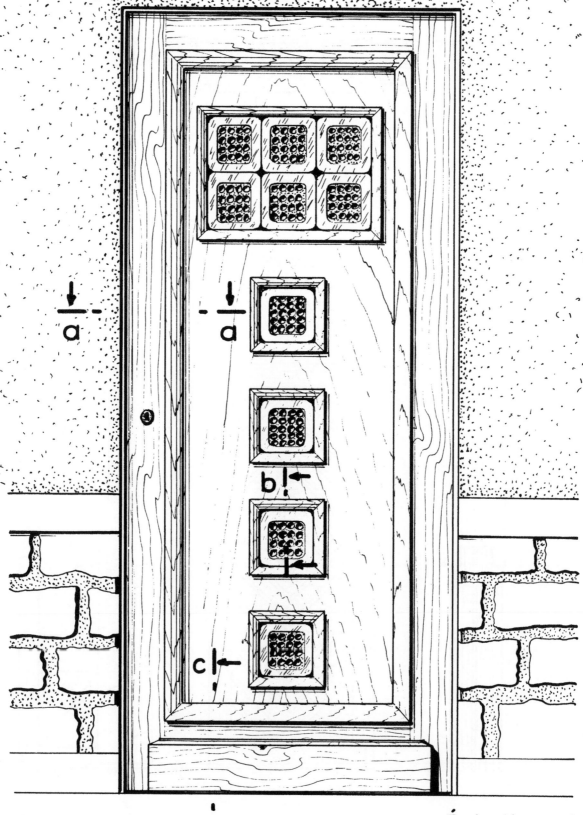

28

Échelle: 0,1

Coupe a

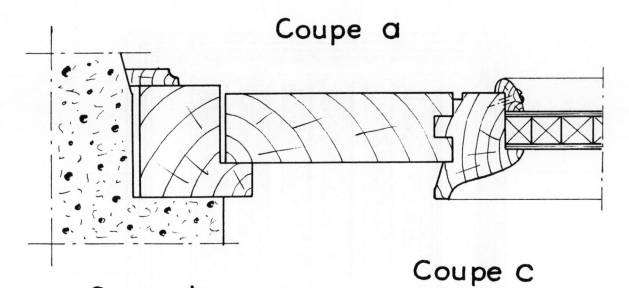

Coupe b

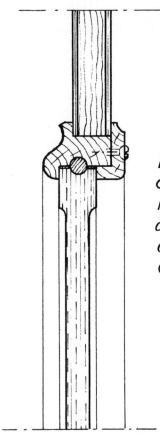

Coupe c

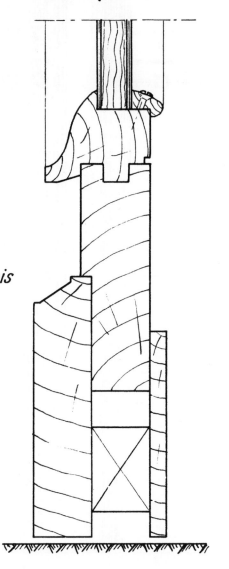

Les joints entre carreaux de verre moulé seront faits au ciment teinté bois au Silexore après lissage

Échelle : 0,5

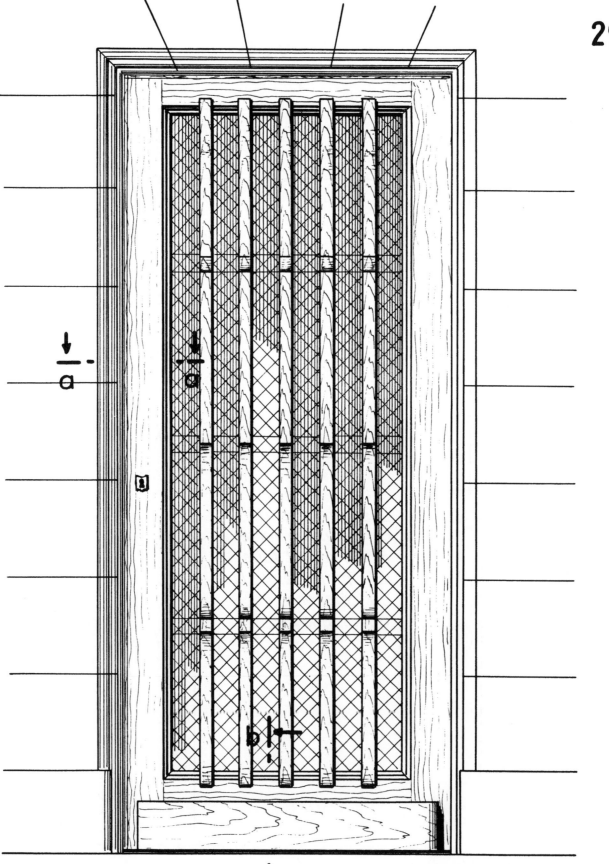

a

a

b

b

Échelle : 0,1

Coupe a

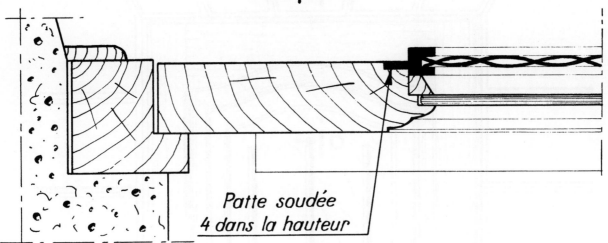

Patte soudée
4 dans la hauteur

Coupe b

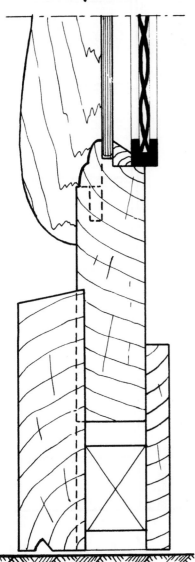

Perspective d'un montant chantourné

Échelle : 0,5

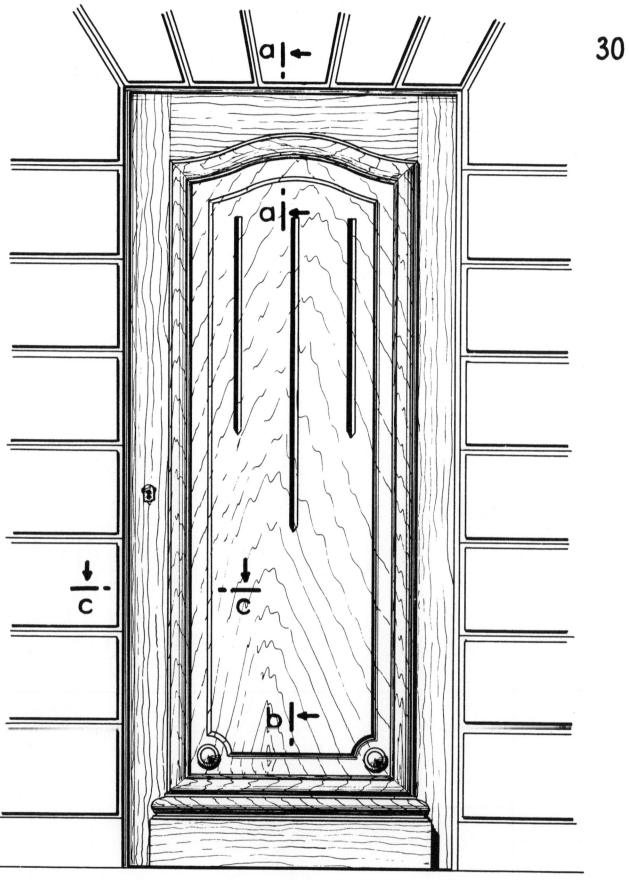

30

Échelle : 0,1

Section b

Sections a et c

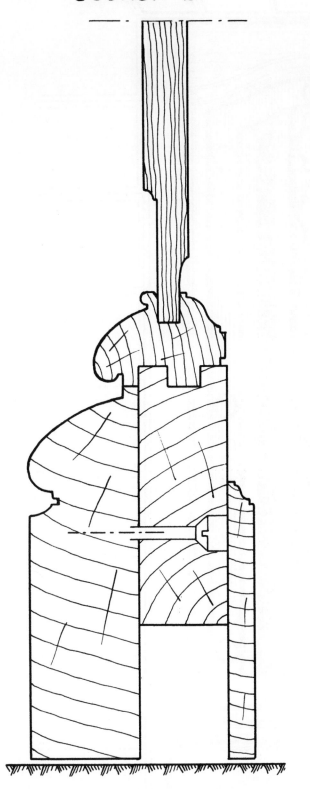

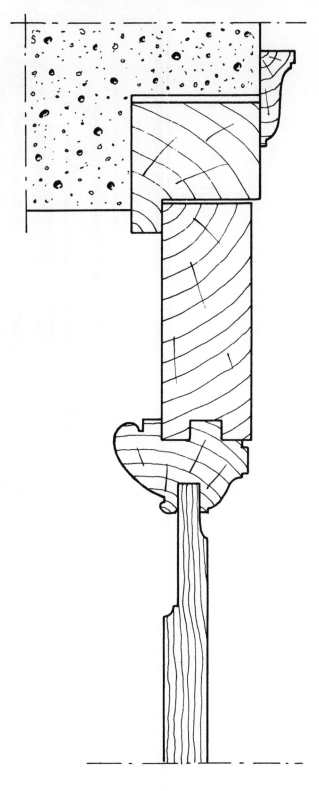

Échelle : 0,5

b

a

a

Échelle : 0,1

Coupe a

Coupe b

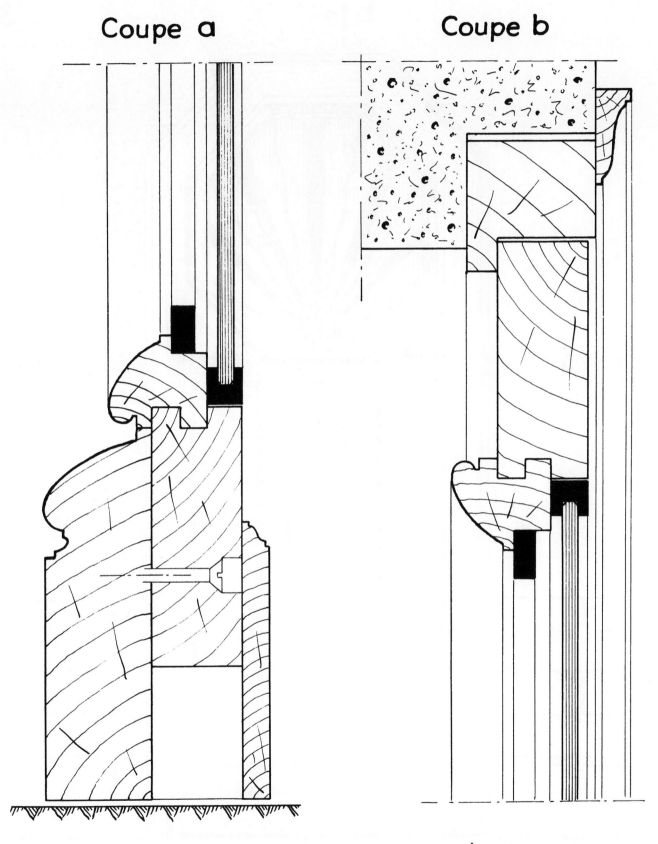

Échelle : 0,5

Section a

Section b

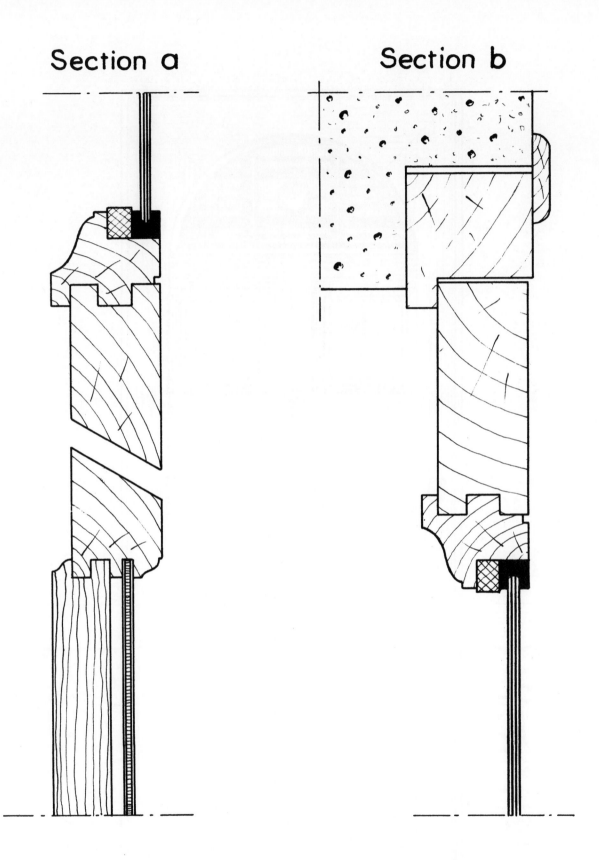

Échelle : 0,5

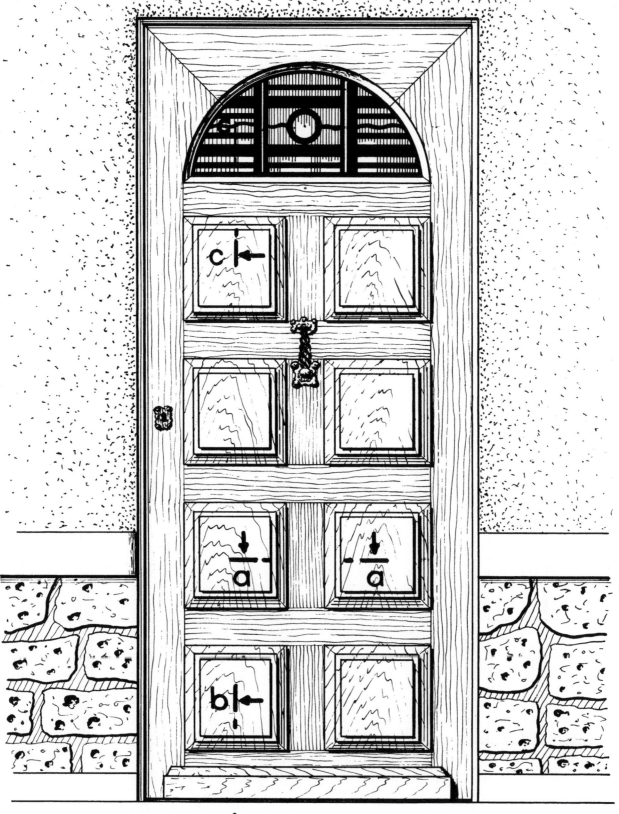

33

Échelle : 0,1

Section a

Section b

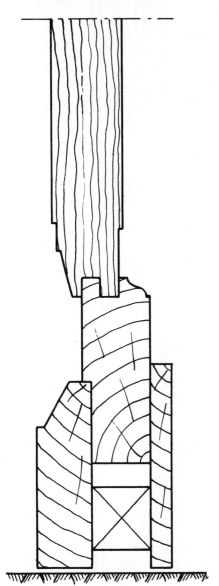

Section c

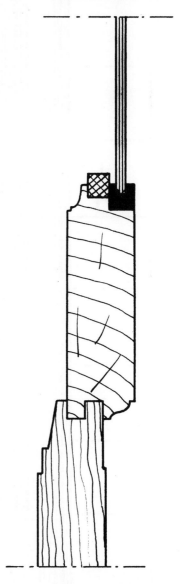

Échelle: 0,5

Échelle : 0,1

Section a

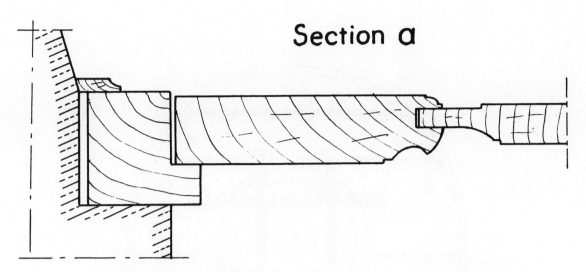

Section b

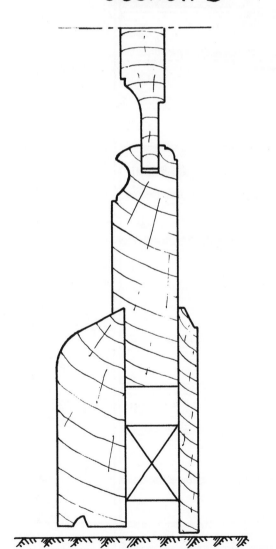

Section c

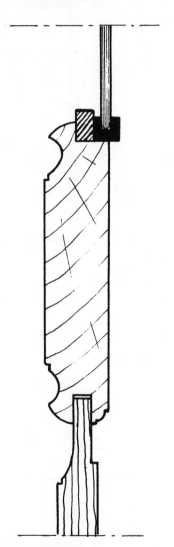

Échelle : 0,5

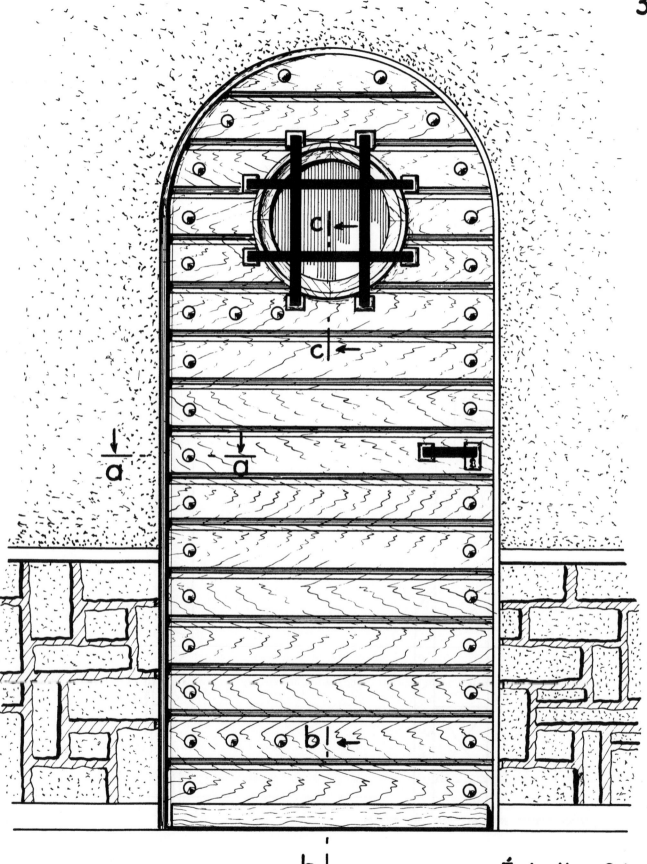

a

a

c

c

d

b

b

Échelle : 0,1

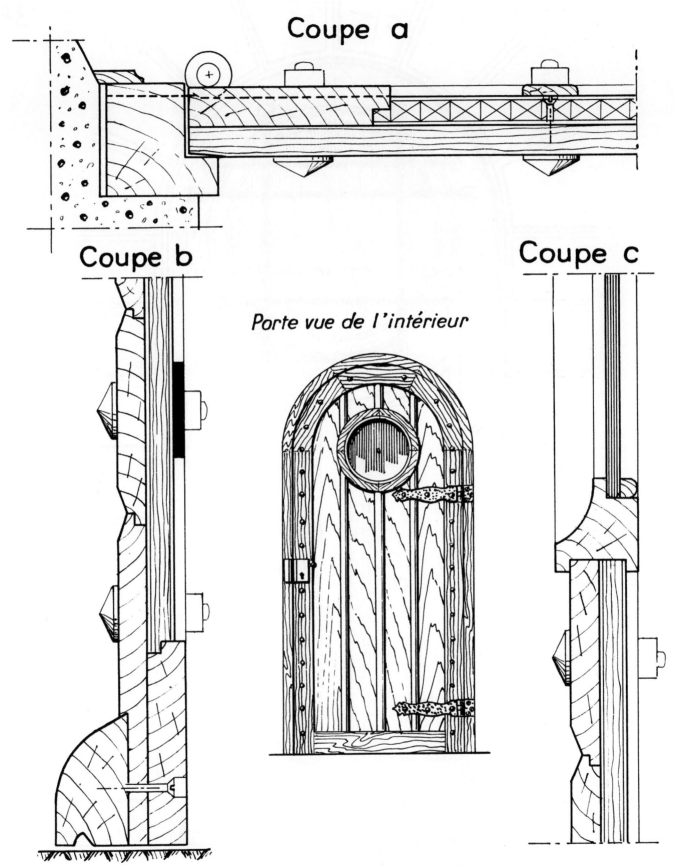

Coupe a

Coupe b

Coupe c

Porte vue de l'intérieur

Échelle : 0,5

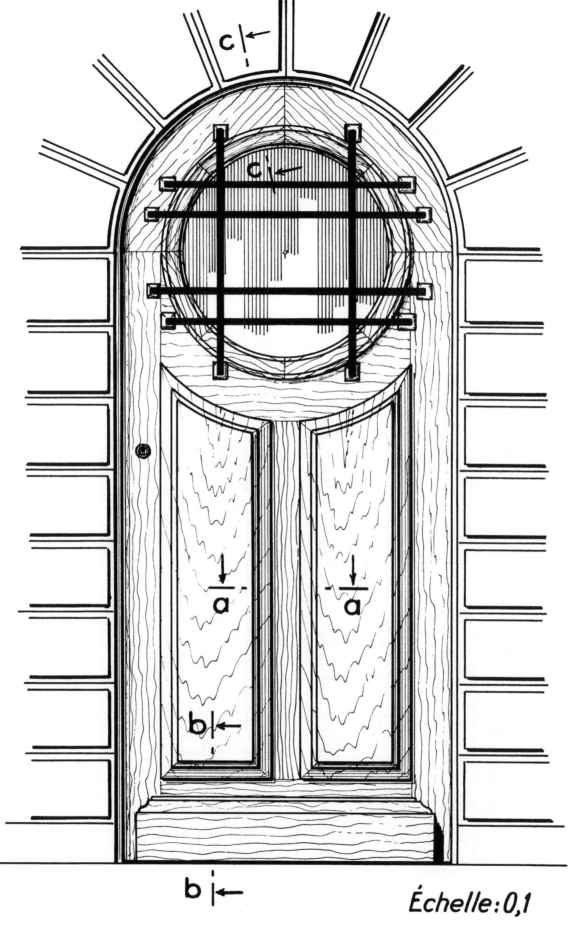

36

Échelle: 0,1

Section a

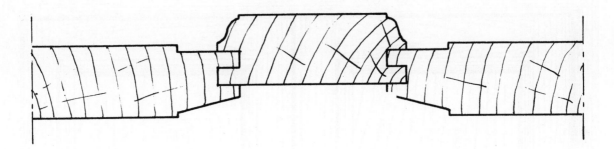

Section b

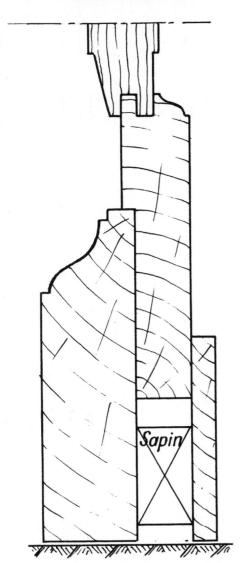

Sapin

Section c

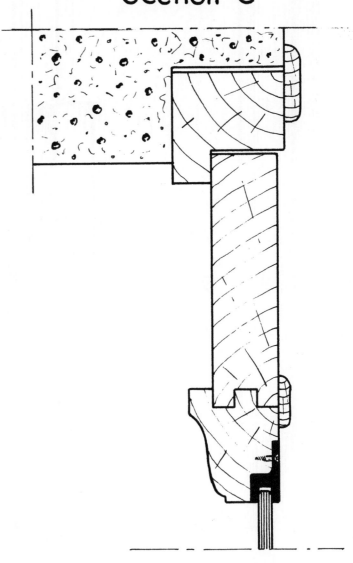

Échelle : 0,5

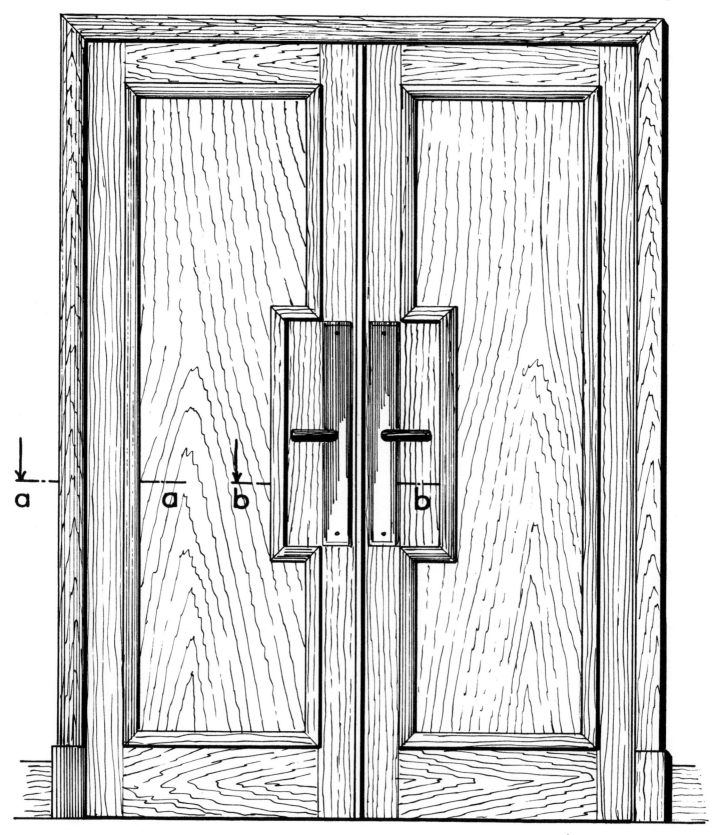

a

a   b   b

Échelle   0,1

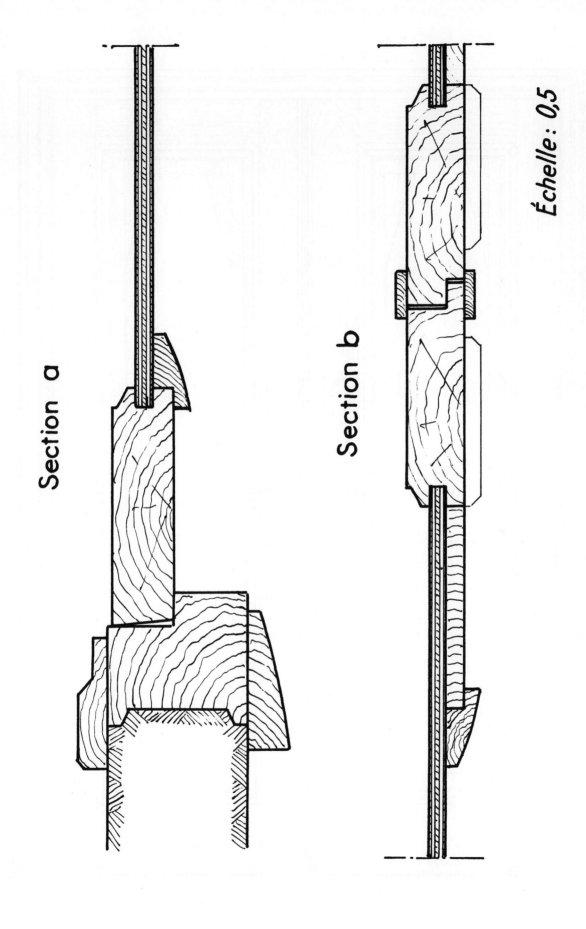

Section a

Section b

Échelle : 0,5

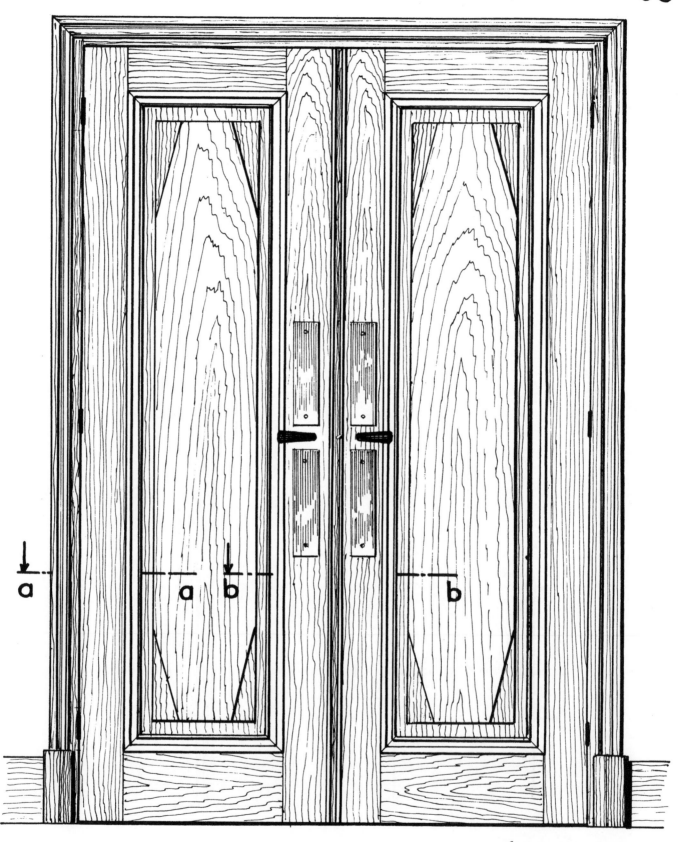

Échelle 0,1

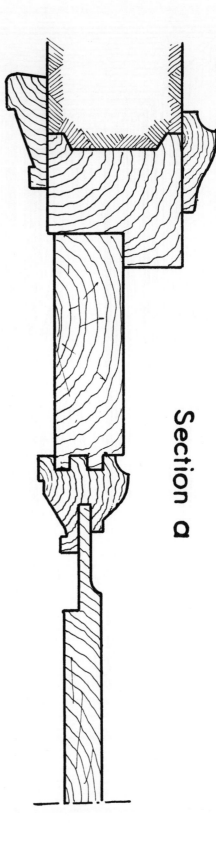

Section a

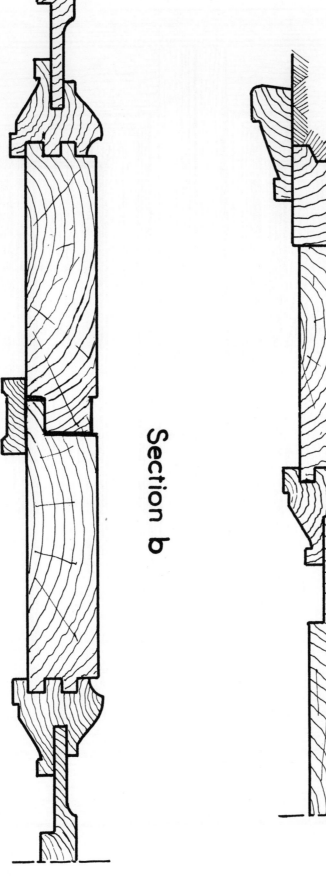

Section b

Échelle : 0,5

39

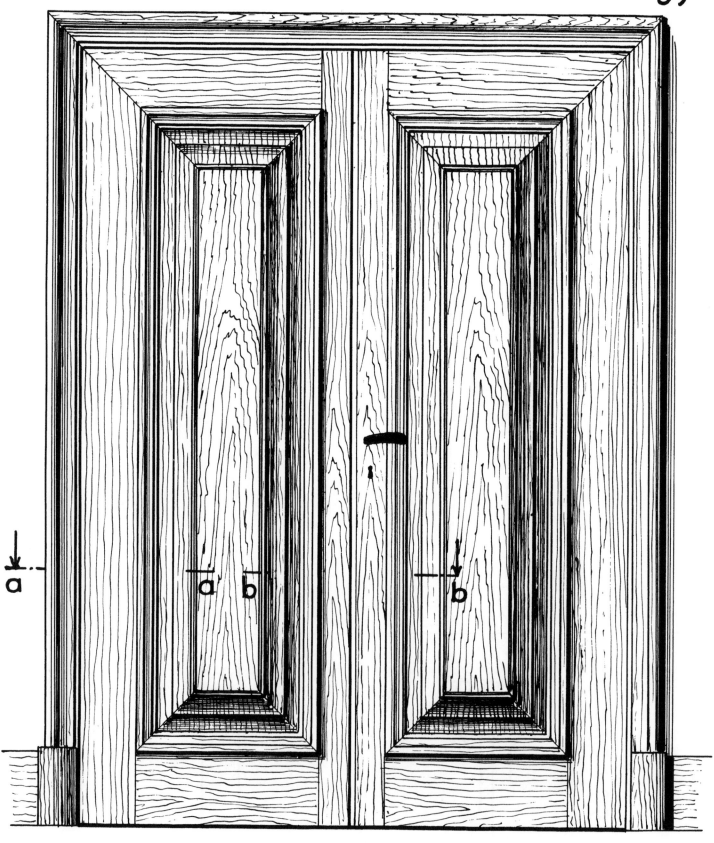

Échelle : 0,1

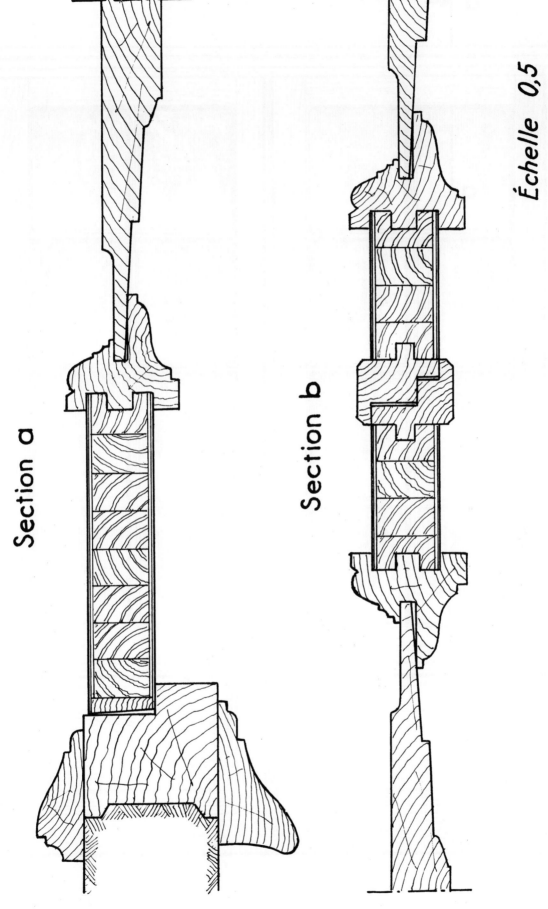

Section a

Section b

Échelle 0,5

a

40

a

b

b

Échelle 0,1

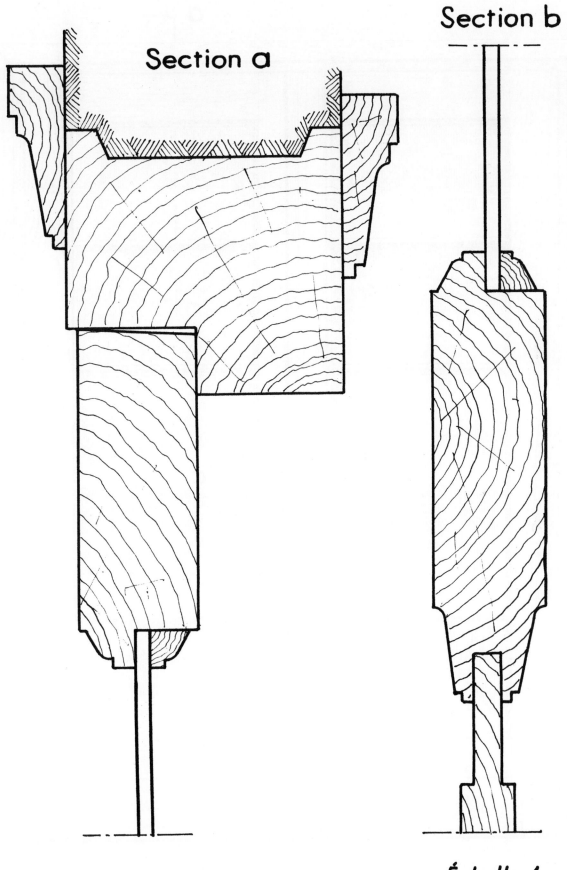

Section a

Section b

Échelle 1

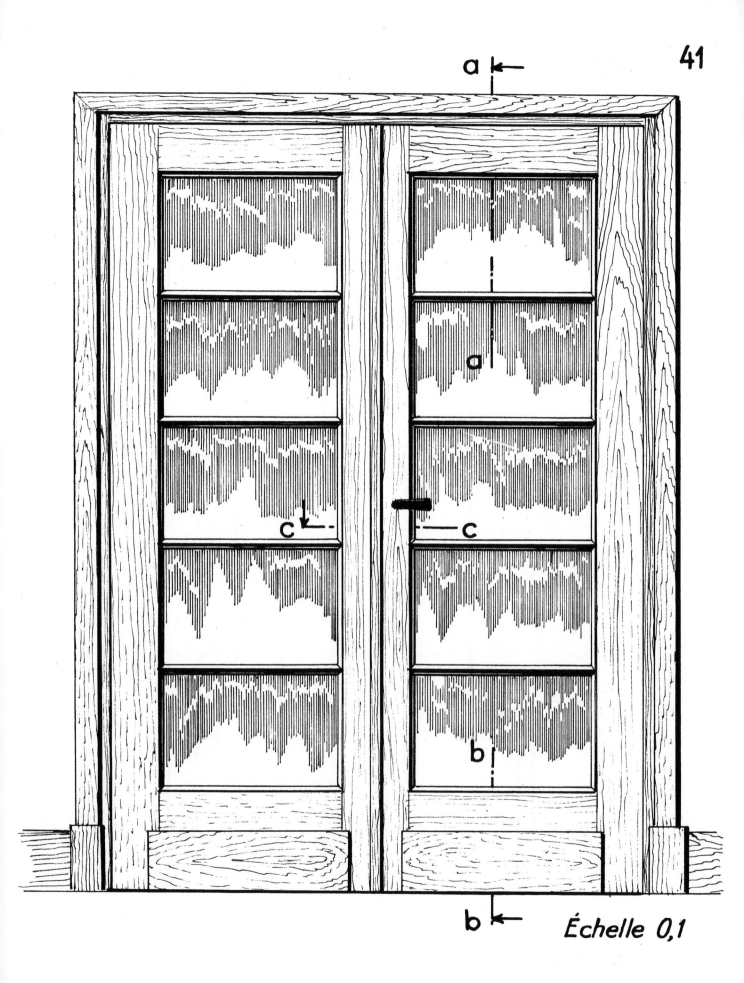

a

a

c c

b

b

Échelle 0,1

Section a   Section b

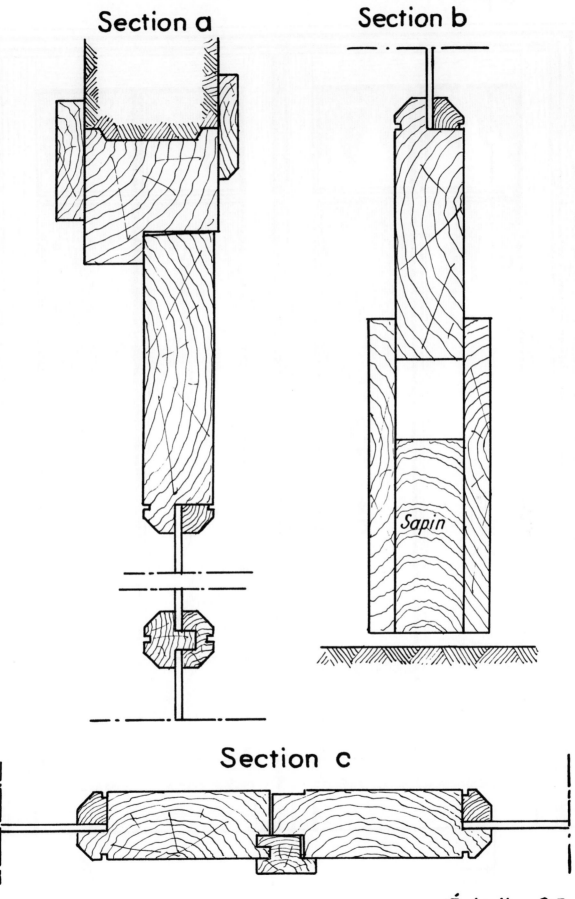

Sapin

Section c

Échelle 0,5

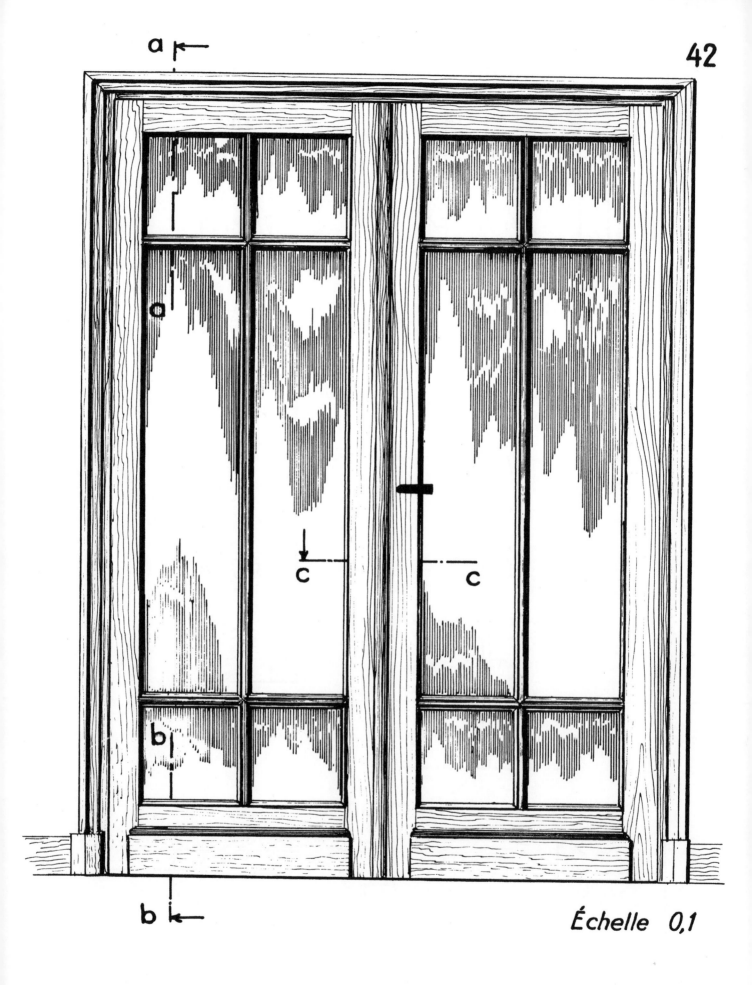

a

42

a

a

c

c

b

b

Échelle 0,1

Section a

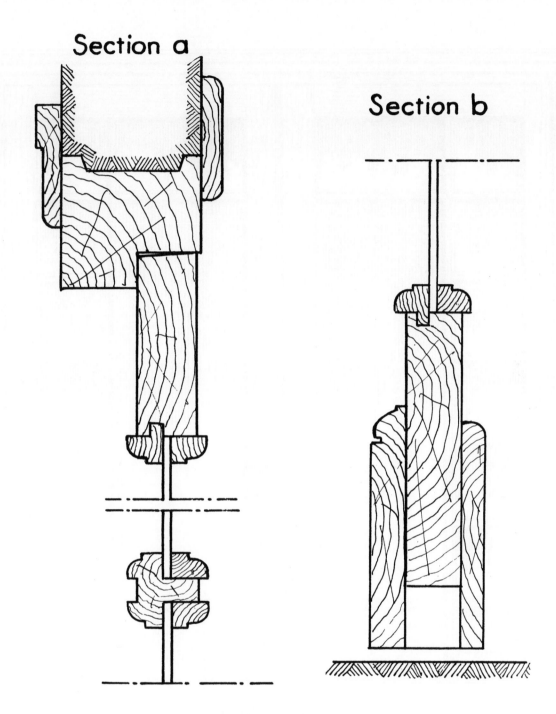

Section b

Section c

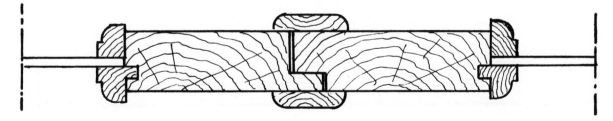

Échelle 0,5

a

a

b

b

Échelle 0,1

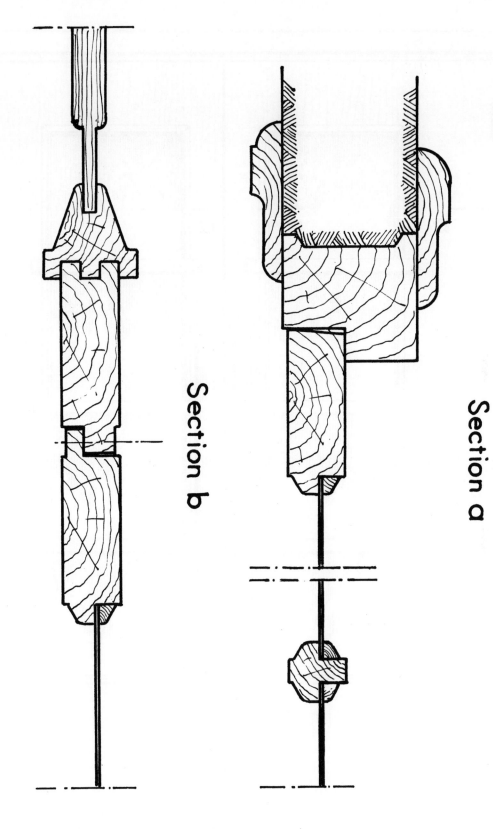

Section b

Section a

Échelle 0,5

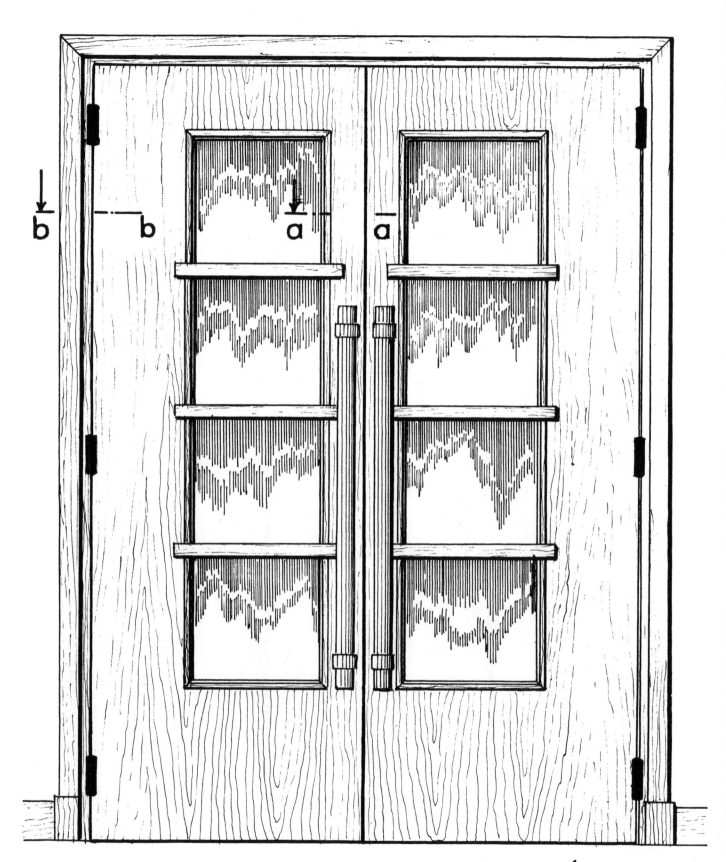

Échelle 0,1

Coupe a

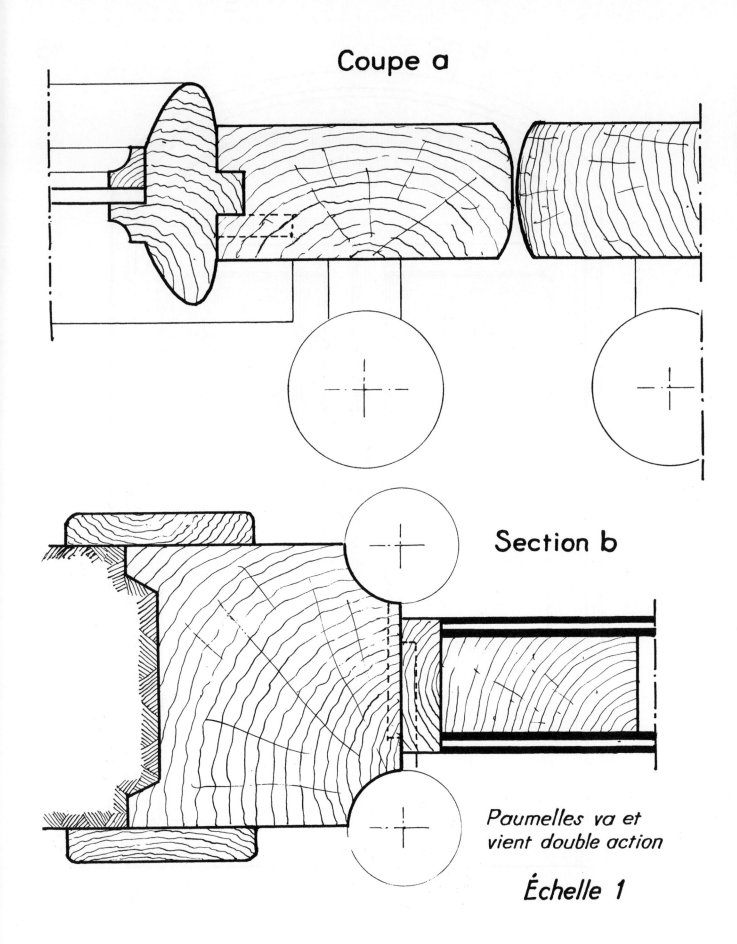

Section b

Paumelles va et
vient double action

Échelle 1

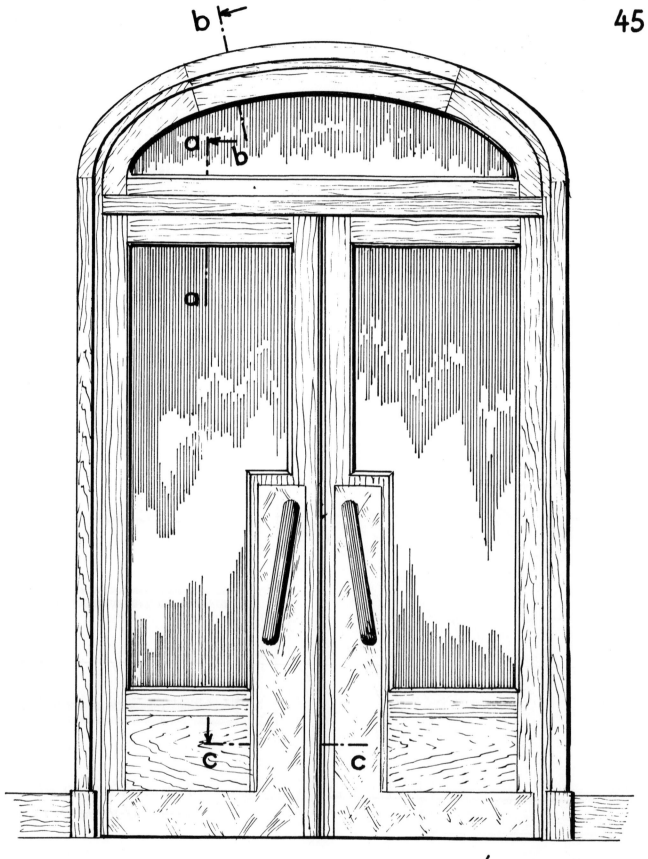

Échelle 0,8

Section a

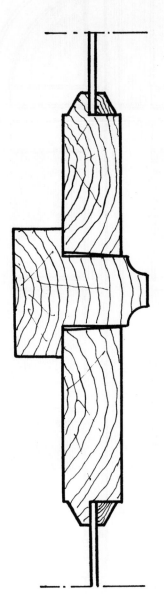

Section b

Section c

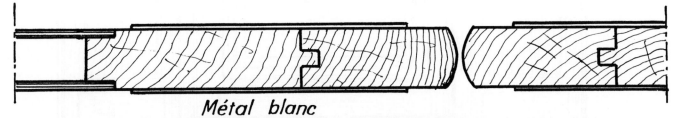

Métal blanc

Ferrage sur paumelles va et vient à simple action

Imposte anse de panier 5 centres

Échelle 0,5

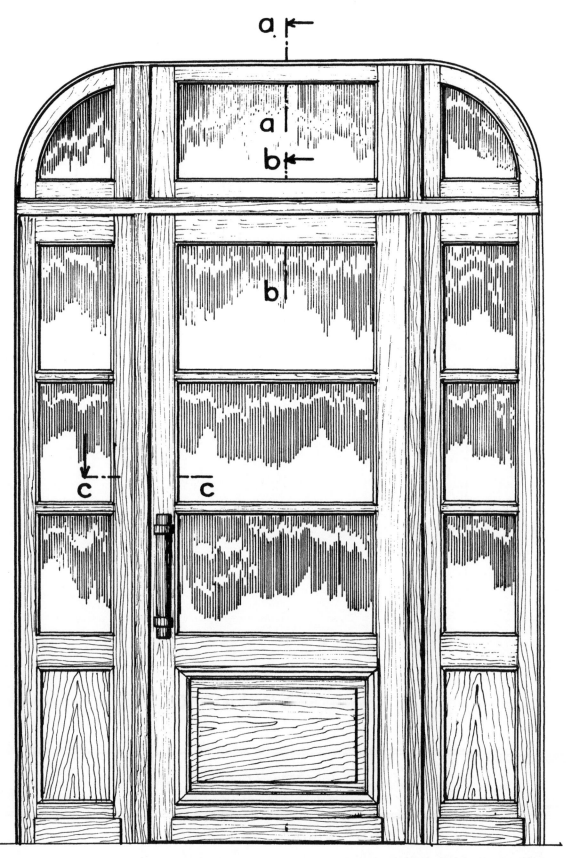

46

Échelle 0,07

Section a

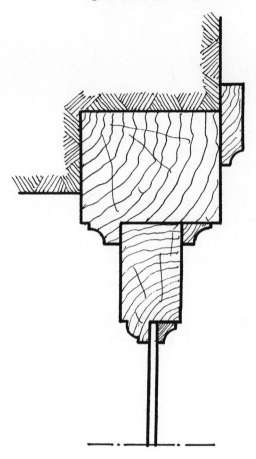

Section b

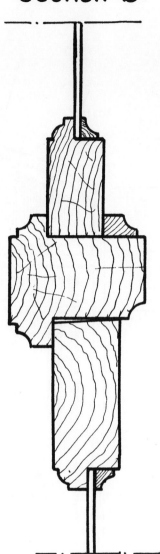

Section c

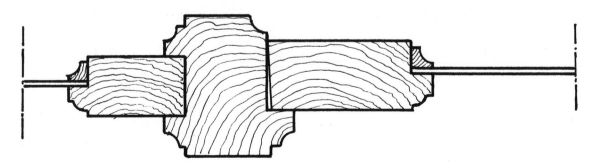

Échelle 0,5

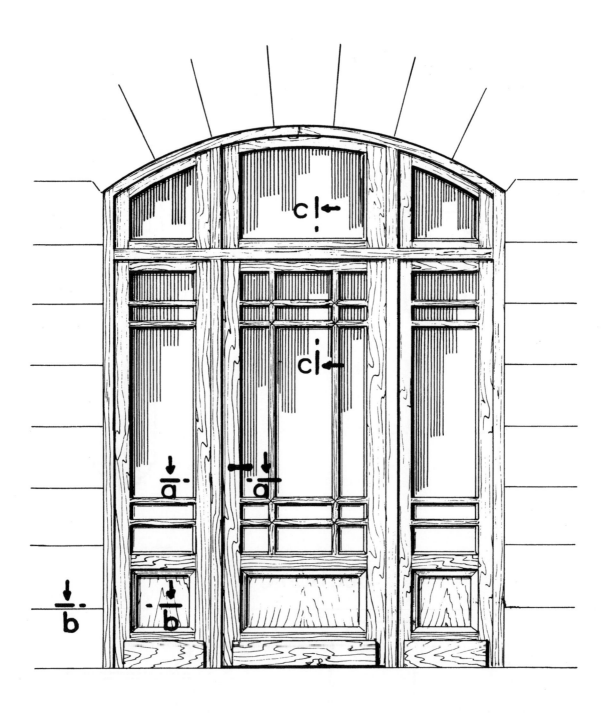

47

Échelle 0,05

Section a

Section c

Section b

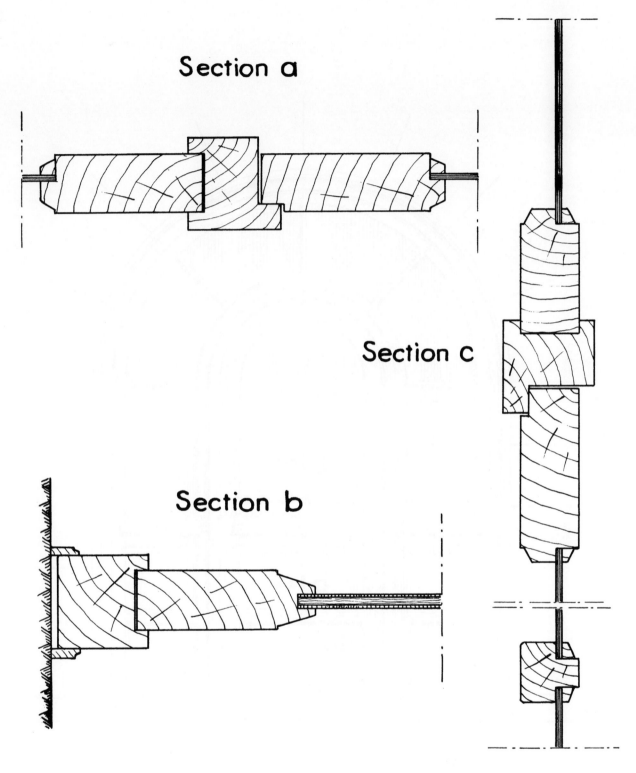

Échelle   0,5

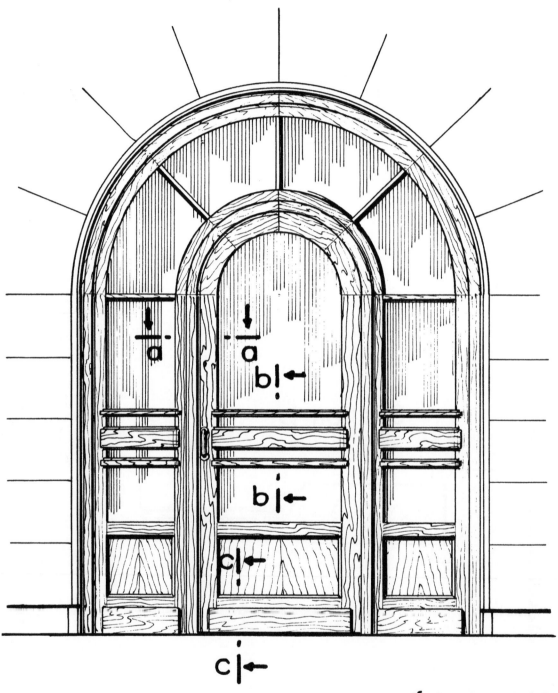

Échelle 0,05

Section a

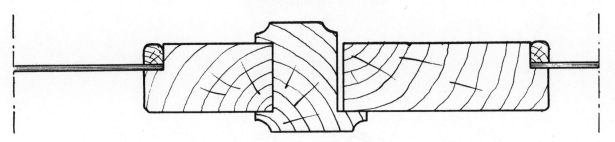

Coupe b

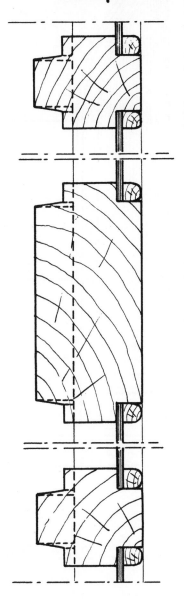

Section c

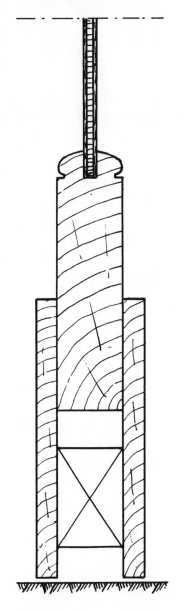

Échelle   0,5

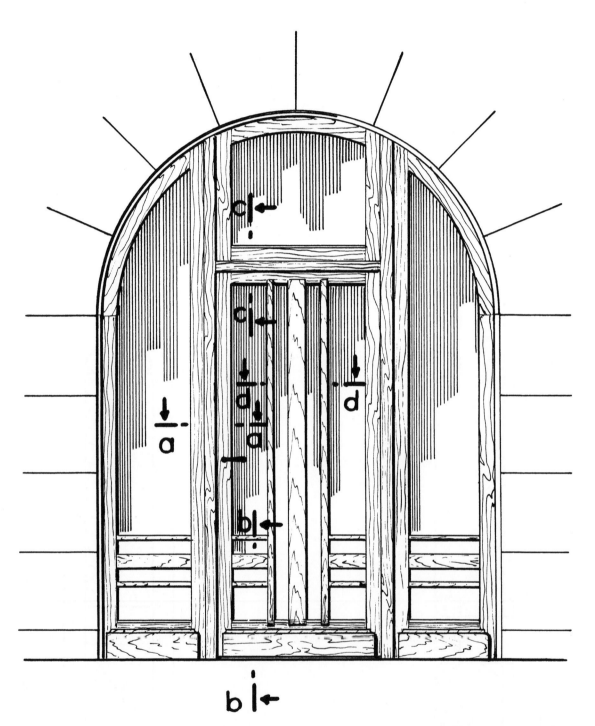

Échelle 0,05

Section a

Section b

Section c

Coupe d

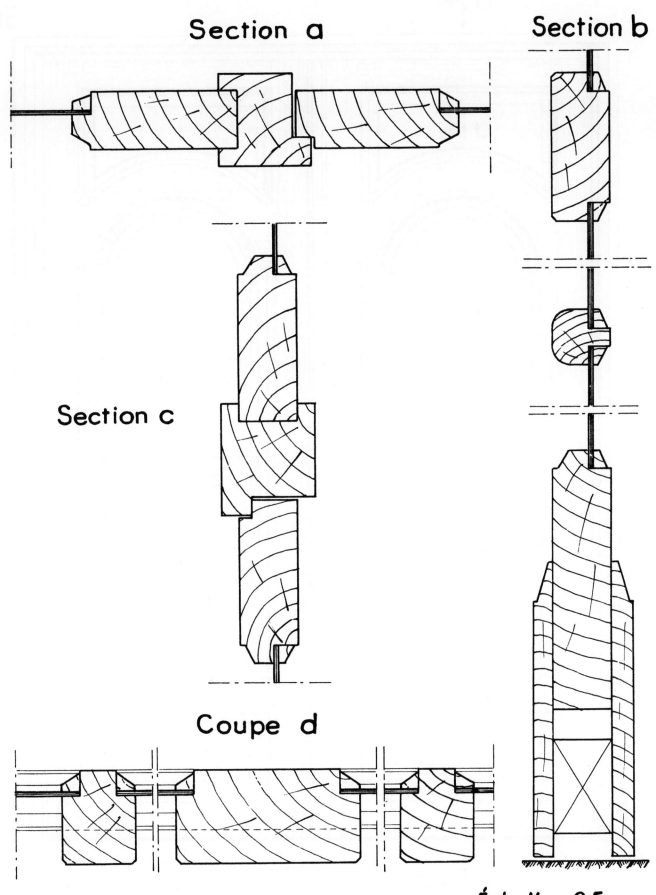

Échelle 0,5

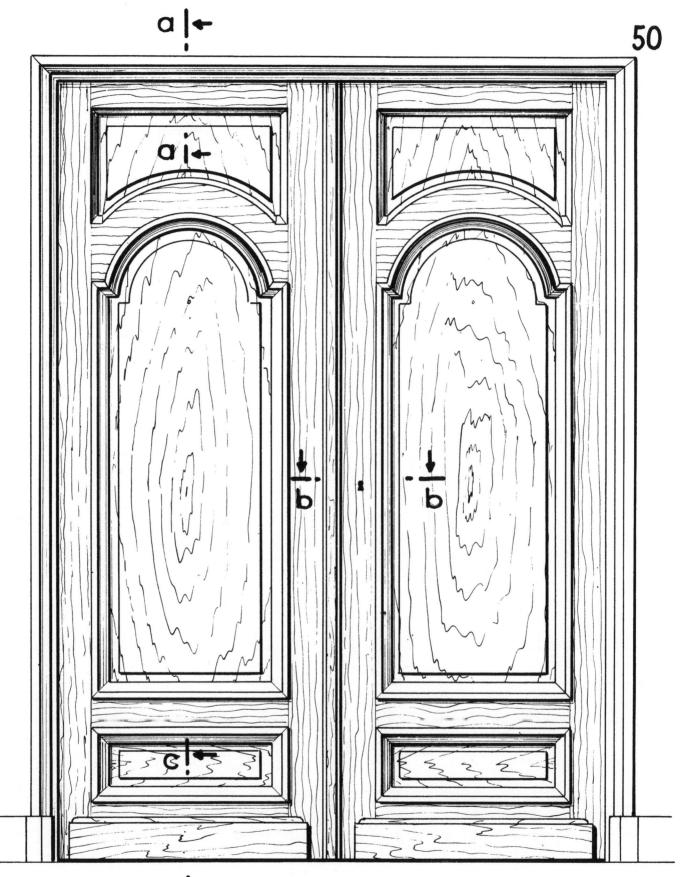

50

Échelle : 0,1

Section b

Section c

Section a

*Variante pour contre-parement
entièrement à petit-cadre*

Échelle : 0,5

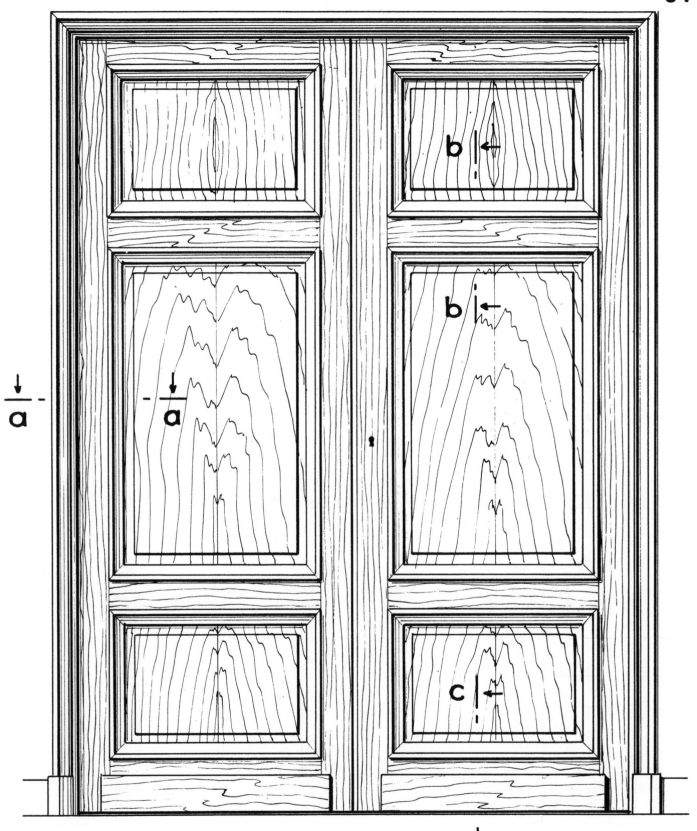

Échelle : 0,1

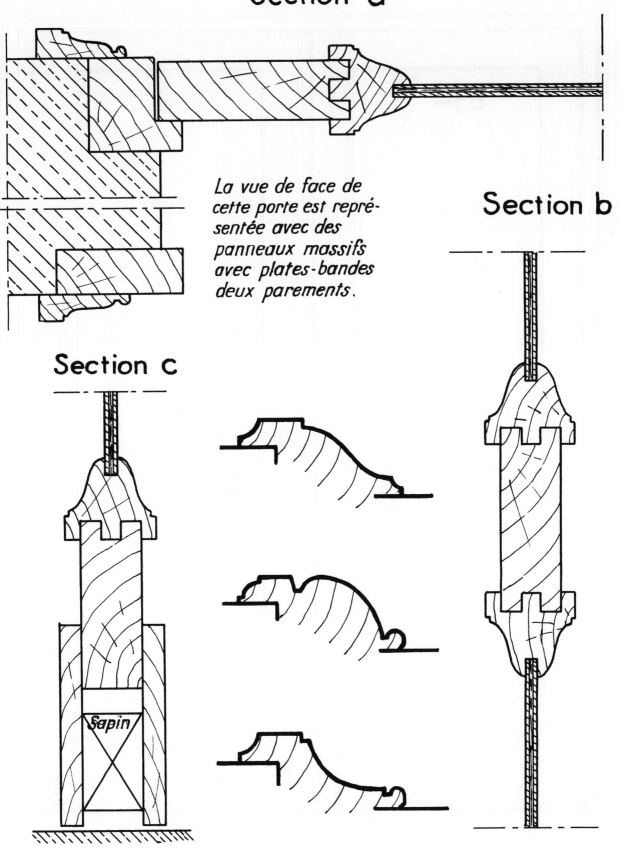

Section a

Section b

Section c

La vue de face de cette porte est représentée avec des panneaux massifs avec plates-bandes deux parements.

Sapin

Échelle 0,5

b

b

a

a

c

c

Échelle : 0,1

Section a

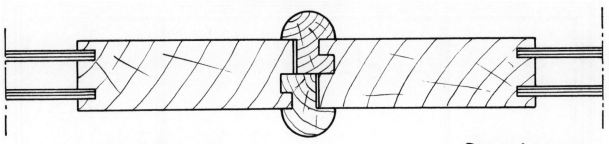

Section b

Section c

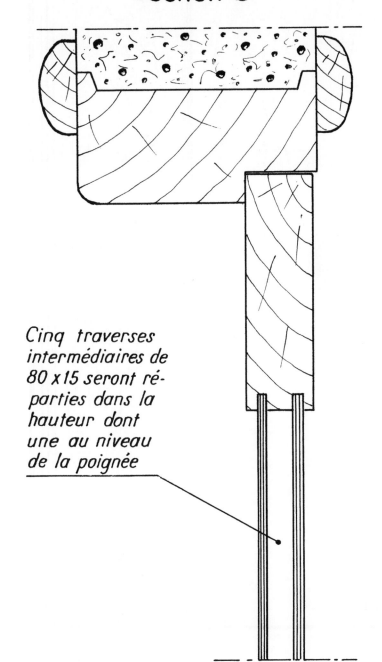

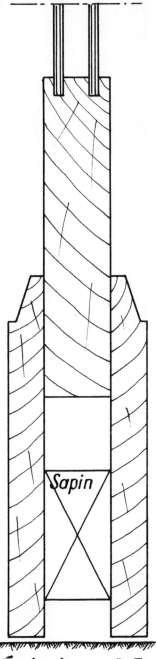

Cinq traverses
intermédiaires de
80 x 15 seront ré-
parties dans la
hauteur dont
une au niveau
de la poignée

Sapin

Échelle : 0,5

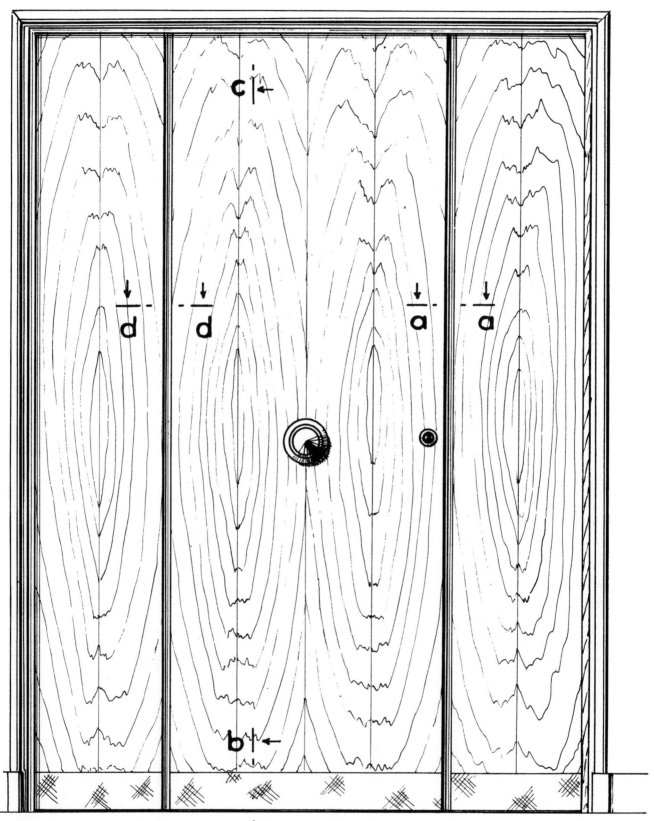

Coupe a

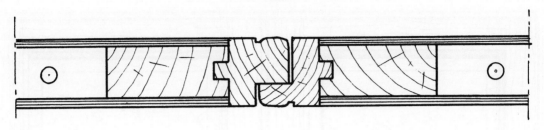

Coupe b

Coupe C

5 Traverses de 80 réparties dans la hauteur dont une au niveau de la poignée.

Coupe d

Alu ou Dural de 3 mm

Trous en chicane pour l'aération de l'intérieur

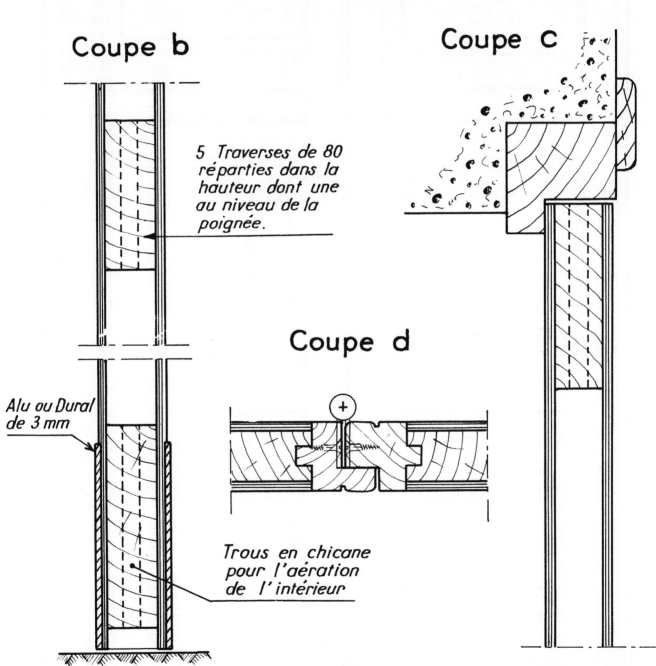

Échelle : 0,5

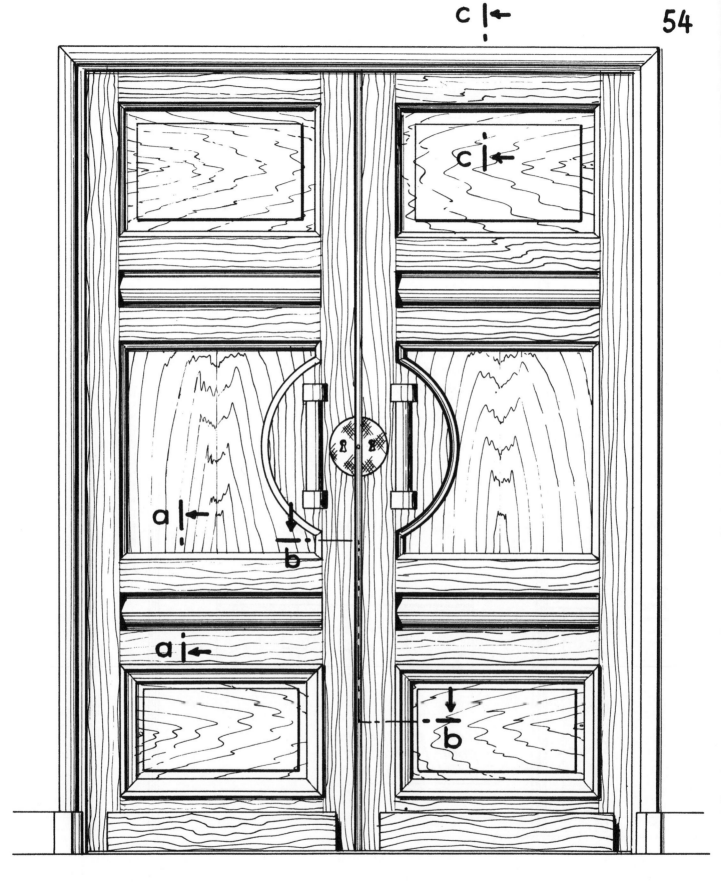

54

Échelle : 0,1

Section b

Section a

Section c

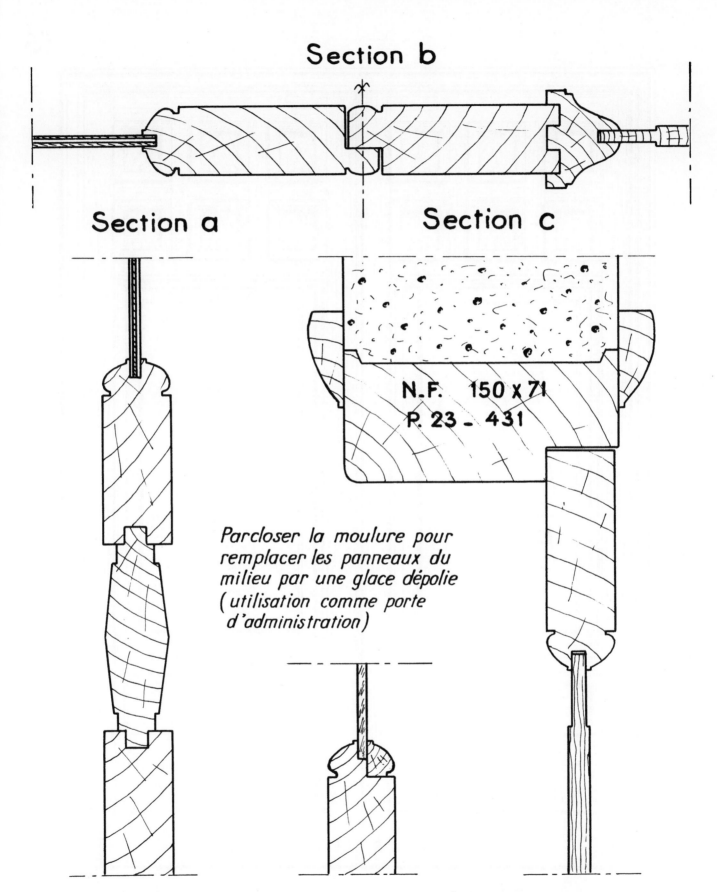

N.F.   150 x 71
P. 23 - 431

Parcloser la moulure pour remplacer les panneaux du milieu par une glace dépolie (utilisation comme porte d'administration)

Échelle : 0,5

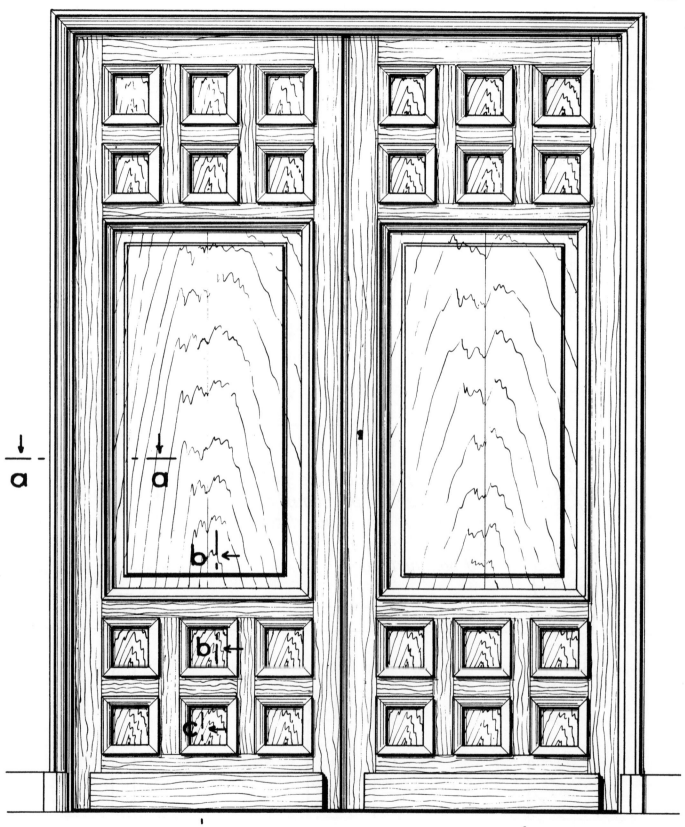

Échelle : 0,1

Section a

Section b

Section c

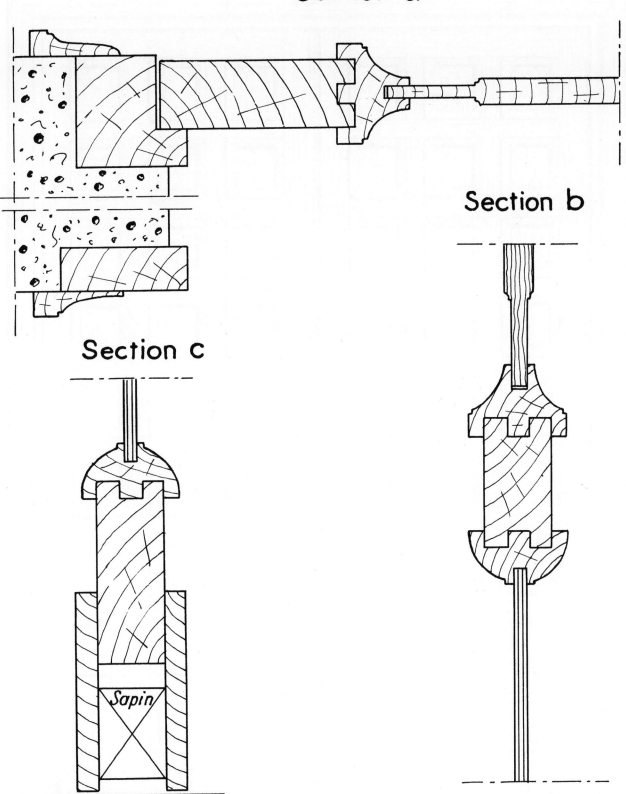

Sapin

Échelle : 0,5

56

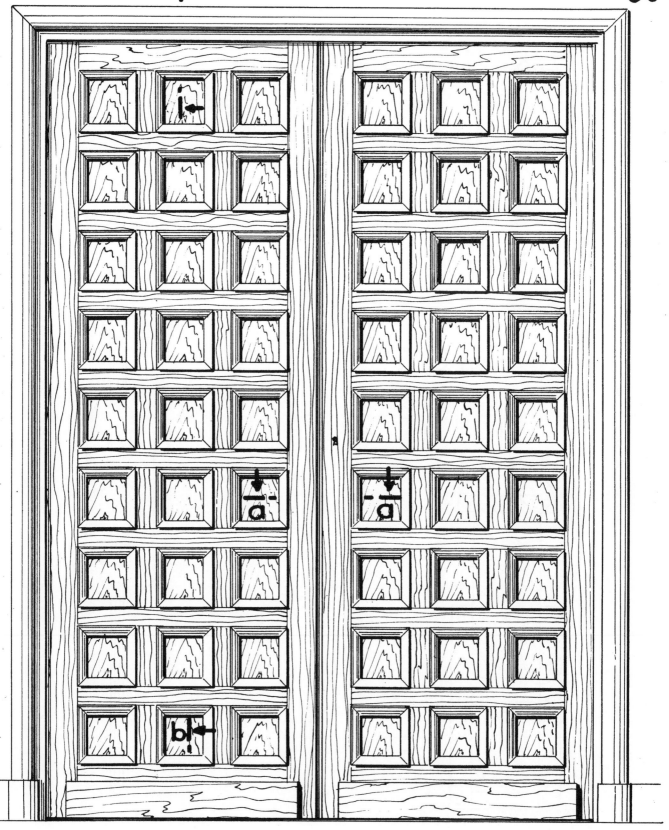

Échelle: 0,1

Section a

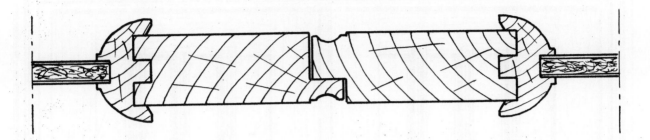

Section b

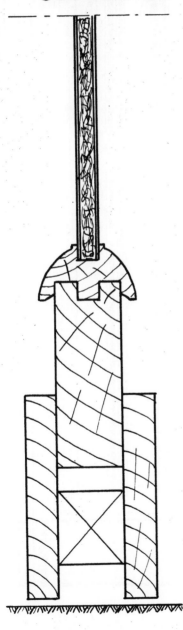

Section c

100 × 71

N F-P 23-431

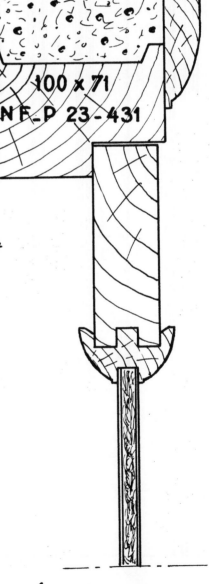

Les panneaux peuvent être prévus soit en contre-plaqué latté-chêne 2 parements soit en agglomeré de fibres LITEX ou ISOREL mou plaqué 2 faces

Échelle : 0,5

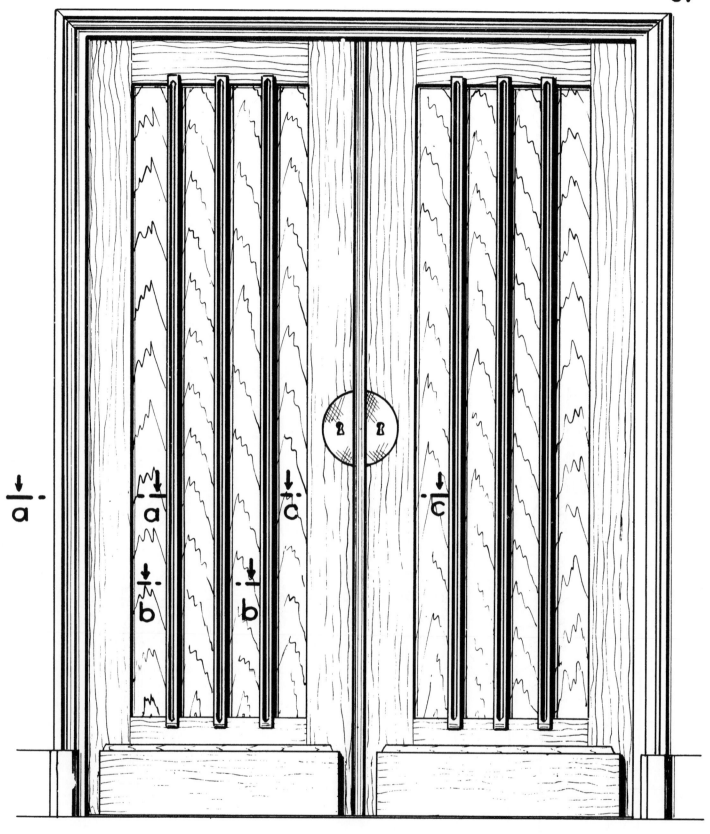

Échelle : 0,1

Section a

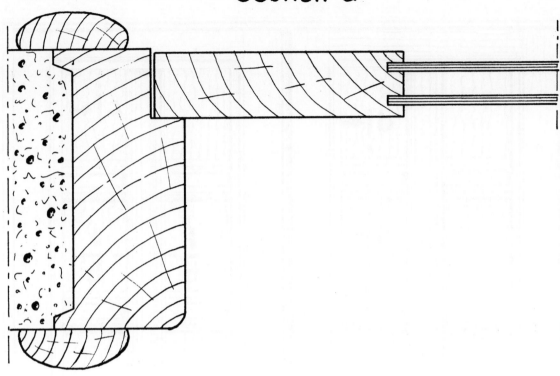

Coupe b

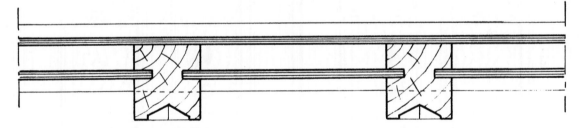

Section c

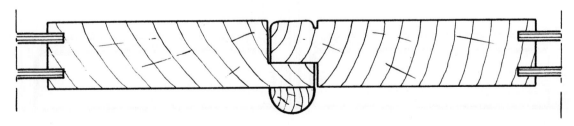

Échelle : 0,5

58

Échelle : 0,1

Coupe a

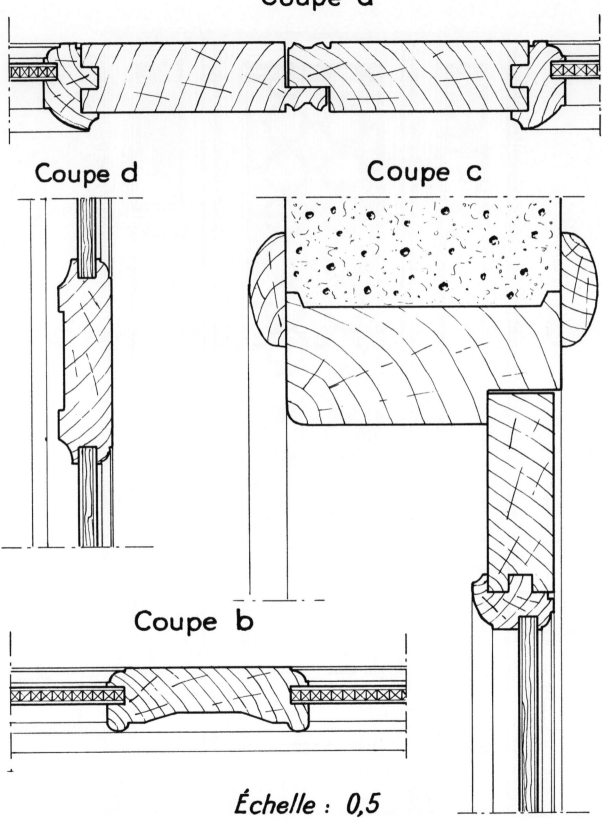

Coupe d

Coupe c

Coupe b

Échelle : 0,5

Section a

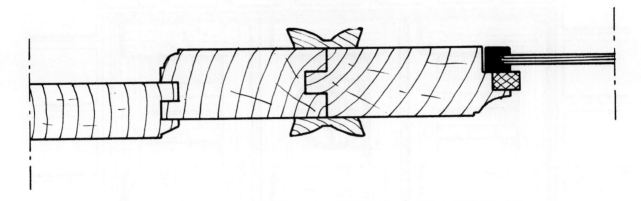

Section b

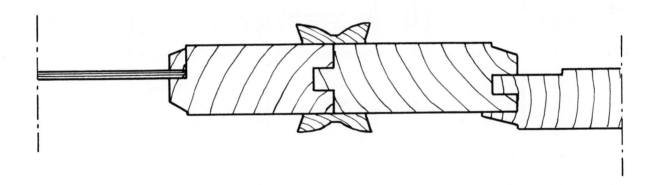

Section c

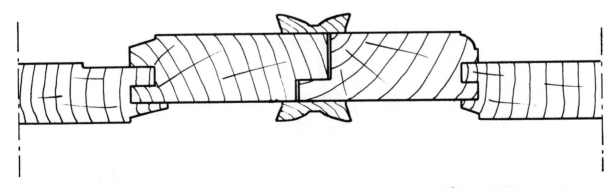

Échelle : 0,5

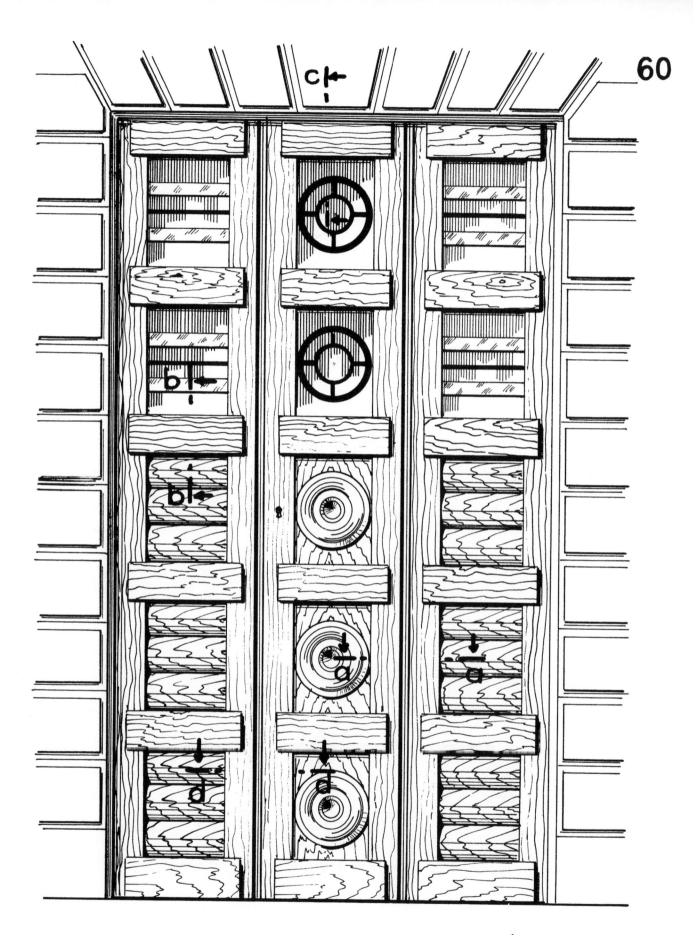

Échelle : 0,1

Coupe a

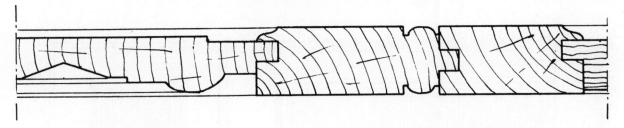

Coupe b

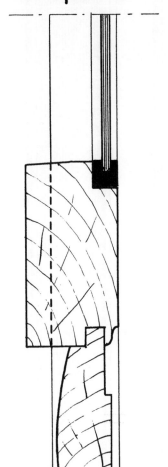

Coupe c

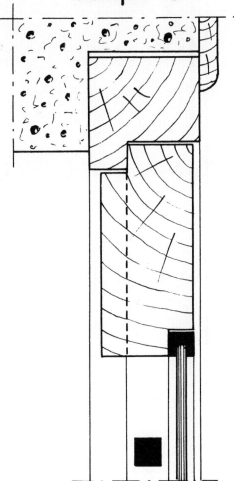

Coupe d

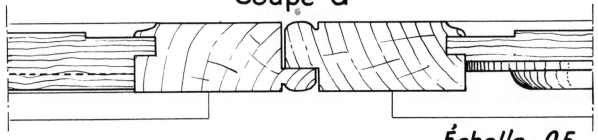

Échelle : 0,5

Échelle : 0,1

Section a

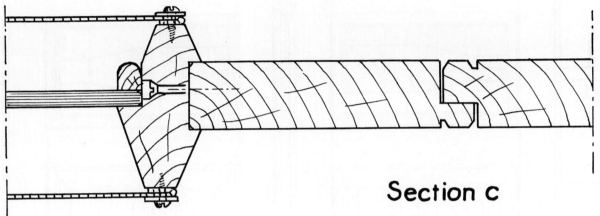

Section b

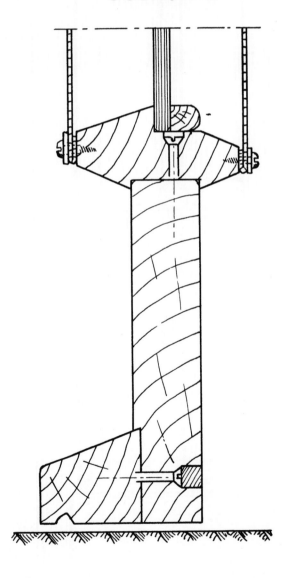

Section c

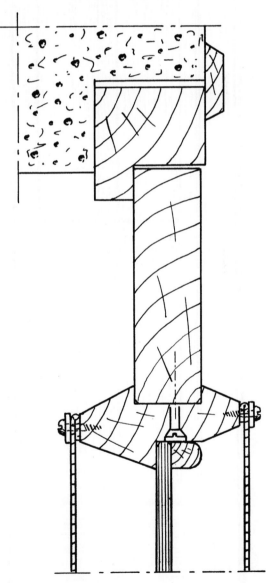

Échelle : 0,5

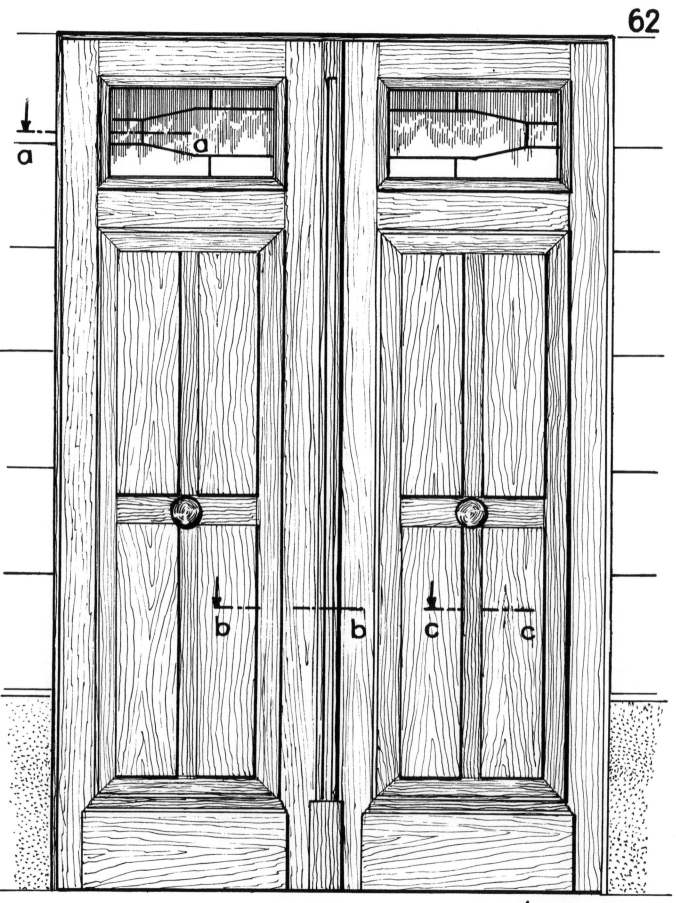

Échelle 0,1

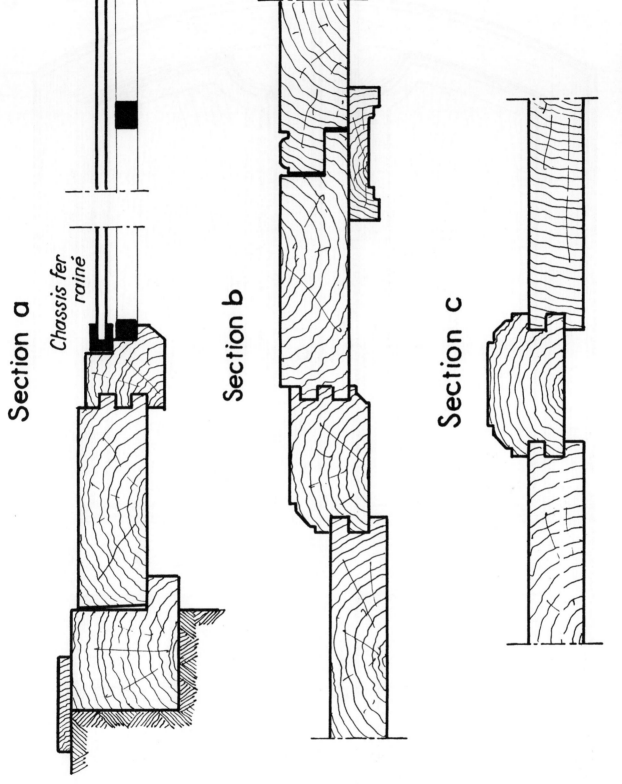

Section a

Chassis fer rainé

Section b

Section c

Échelle 0,5

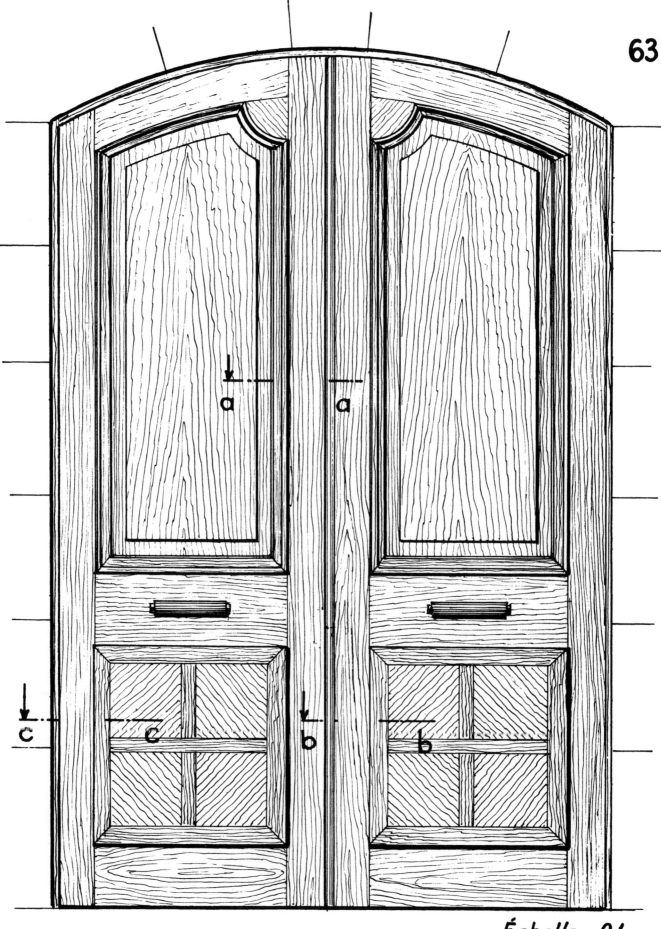

63

Échelle : 0,1

Section a

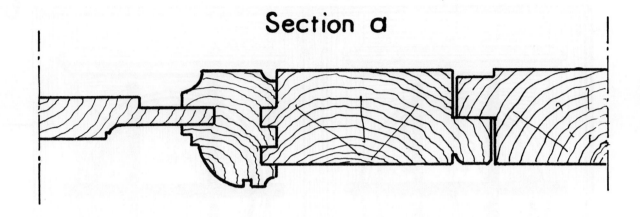

Section b

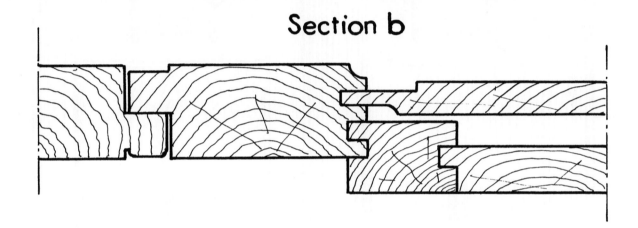

Section c

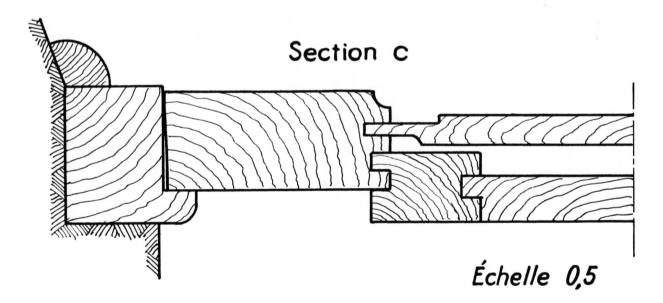

Échelle 0,5

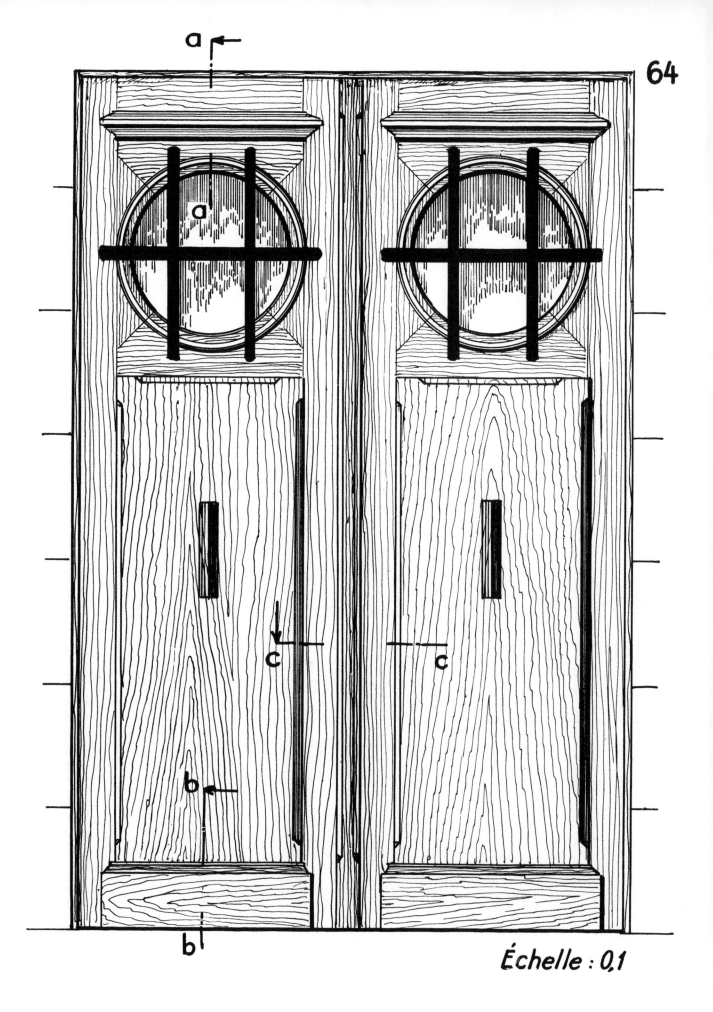

Échelle : 0,1

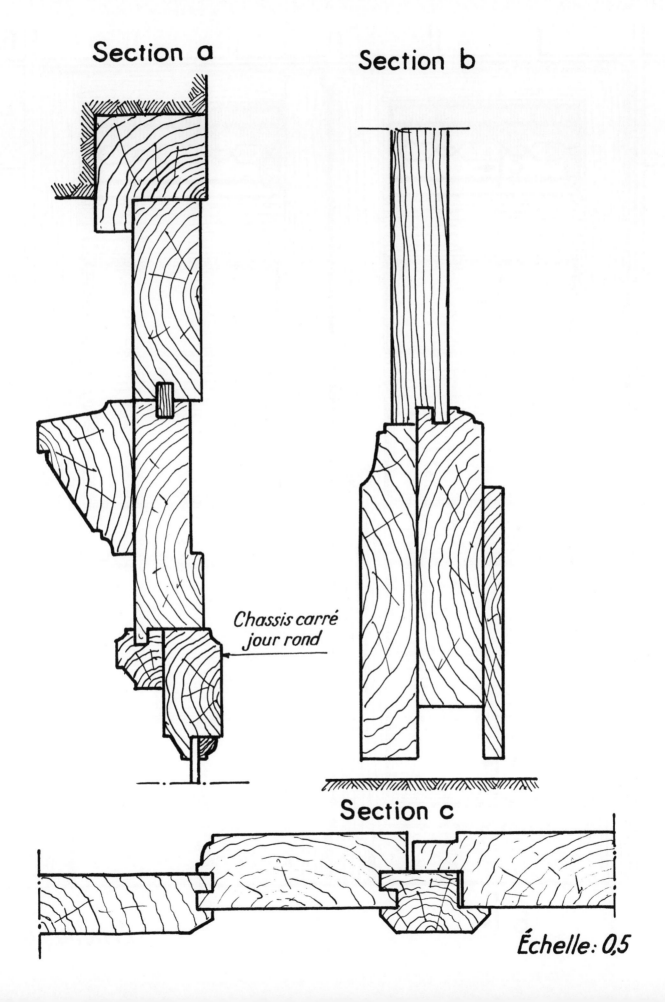

Section a

Section b

Chassis carré
jour rond

Section c

Échelle: 0,5

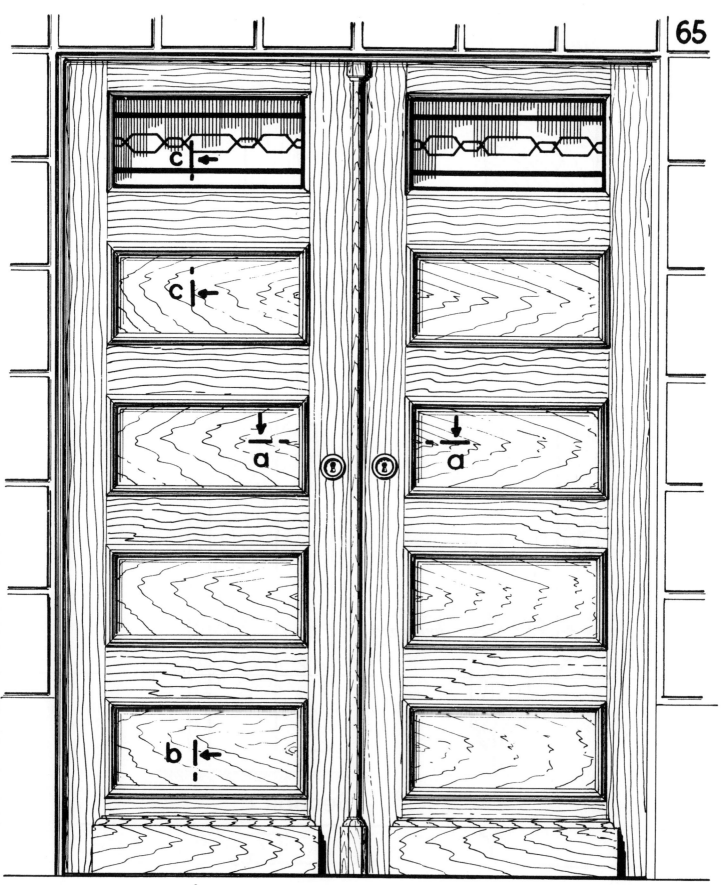

65

Échelle : 0,1

Section a

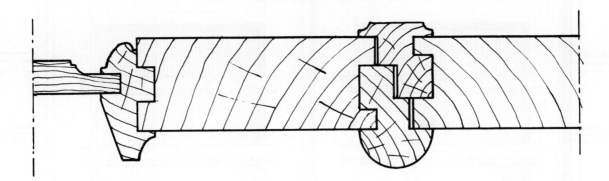

Section b

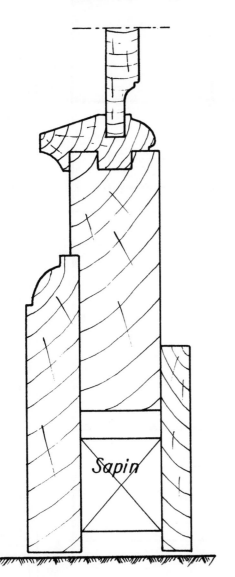

Sapin

Section c

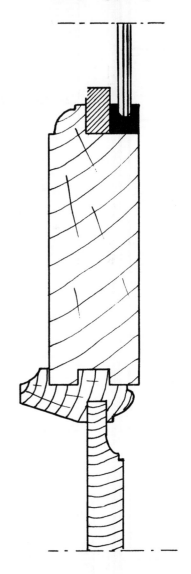

Échelle : 0,5

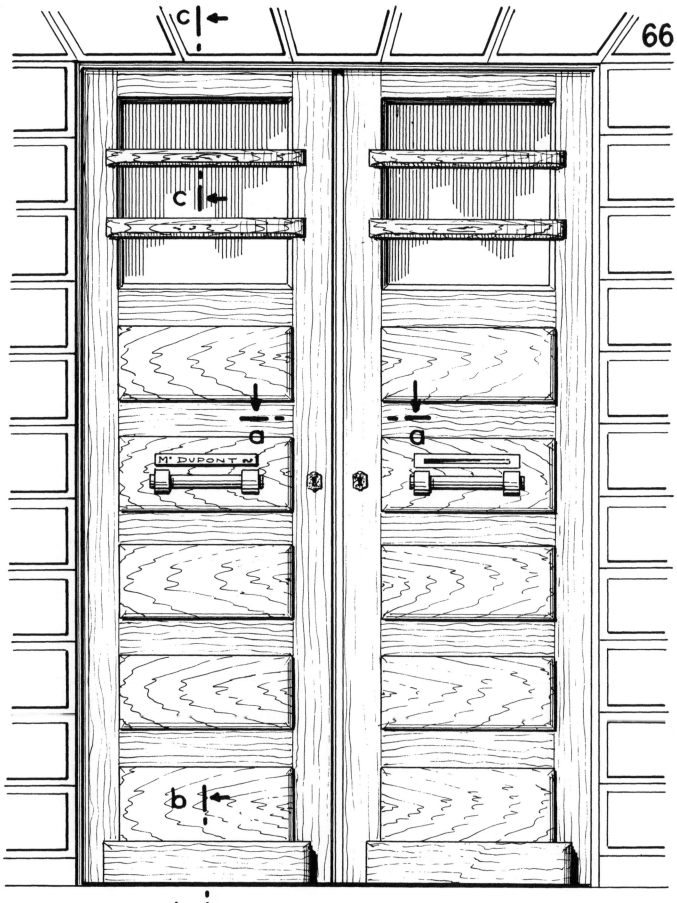

Échelle : 0,1

Section a

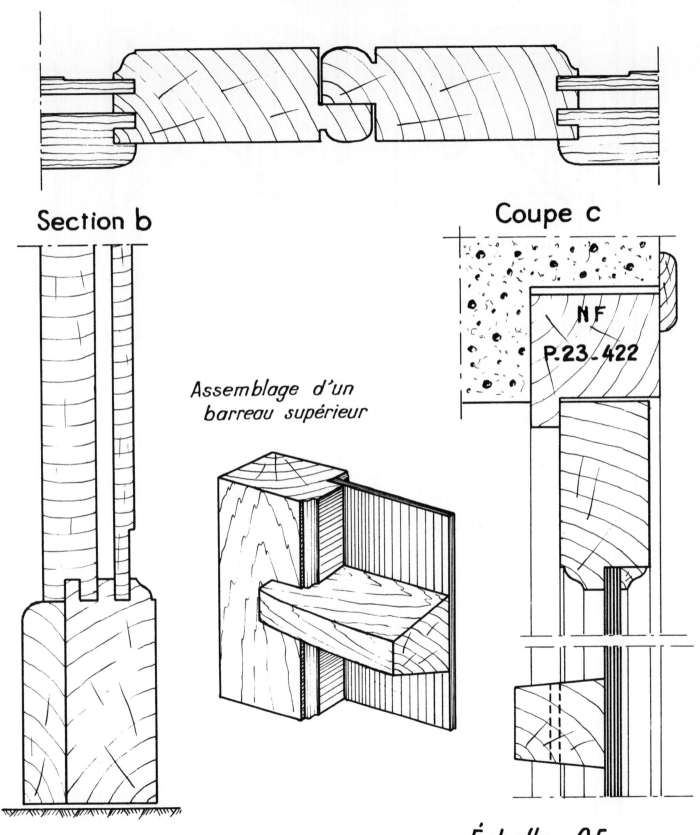

Section b

Coupe c

NF
P. 23 - 422

Assemblage d'un
barreau supérieur

Échelle : 0,5

Échelle : 0,1

Section a

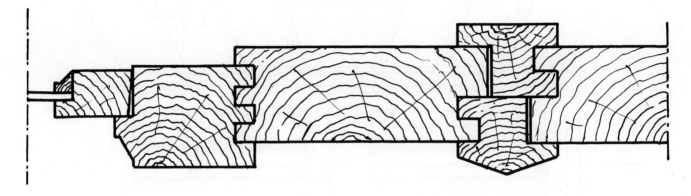

Section b

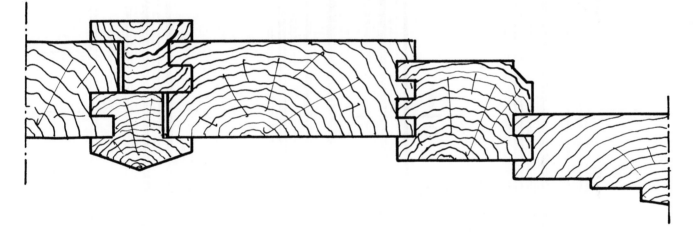

Section c

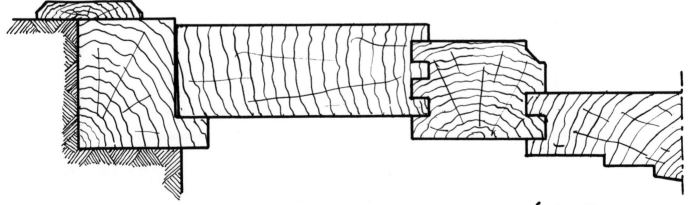

Échelle : 0,5

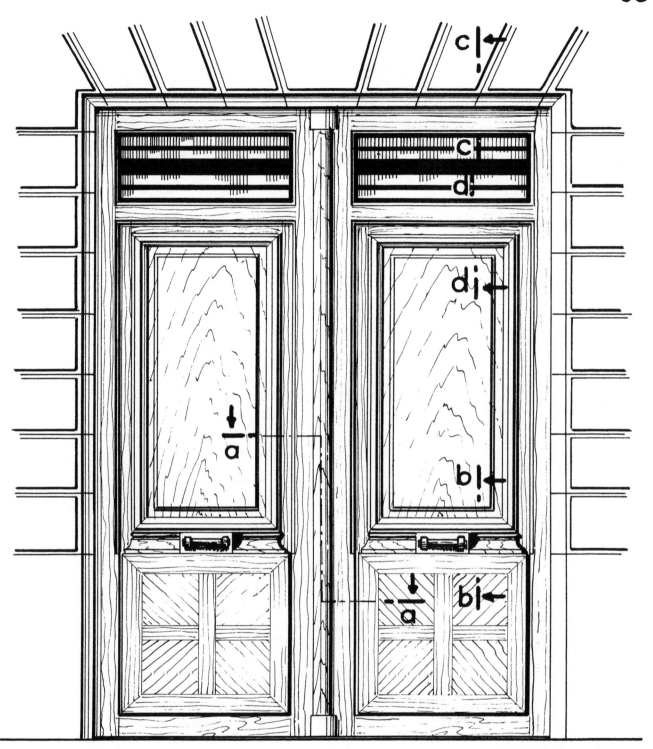

Échelle : 0,05

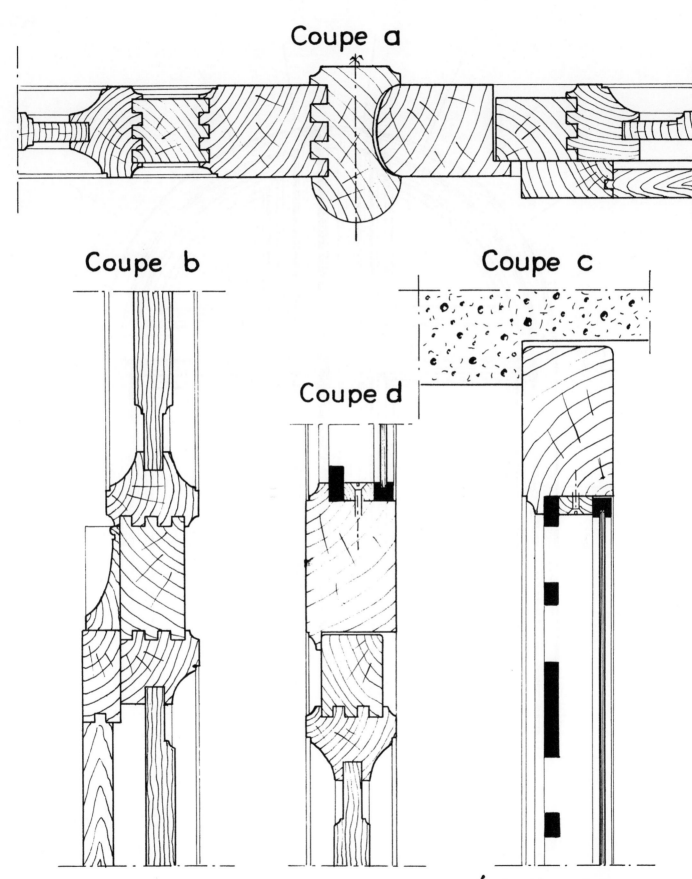

Coupe a

Coupe b

Coupe c

Coupe d

Échelle : 0,25

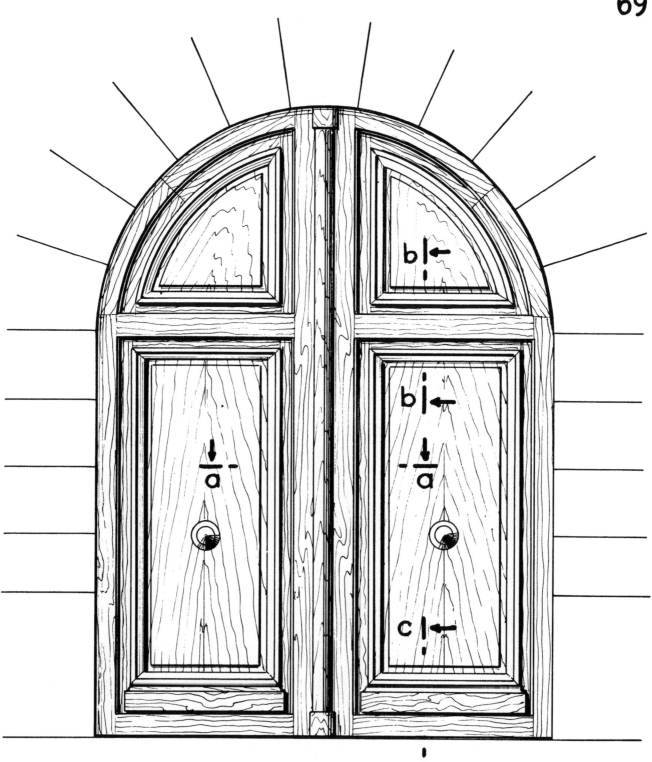

69

Échelle : 0,05

Section a

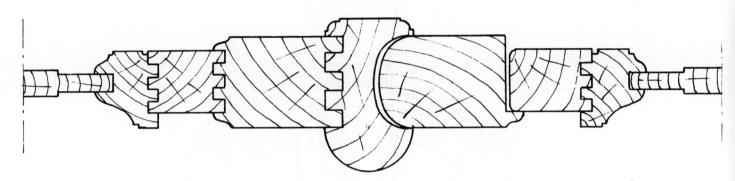

Section b

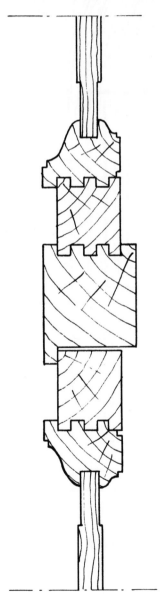

Section c

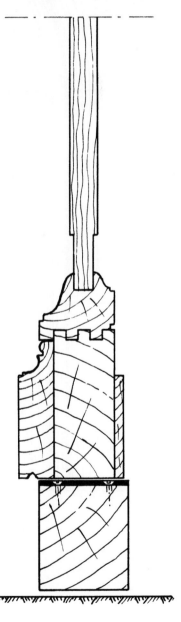

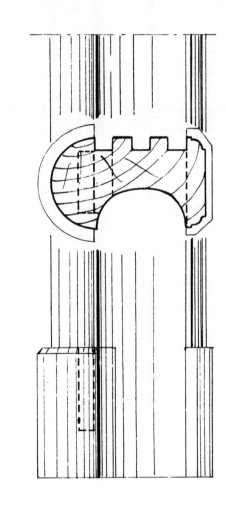

*Vue sur les socles
avant et arrière*

Échelle : 0,25

70

Échelle : 0,05

Section a

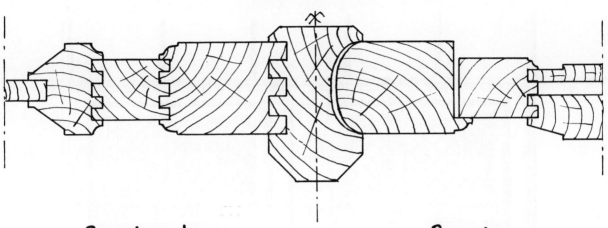

Section b

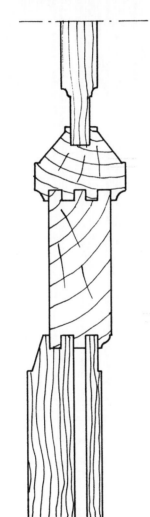

Section c

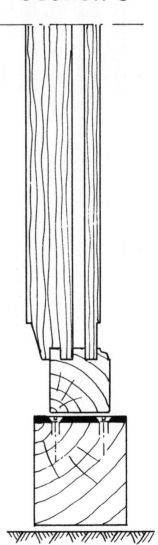

Échelle : 0,25

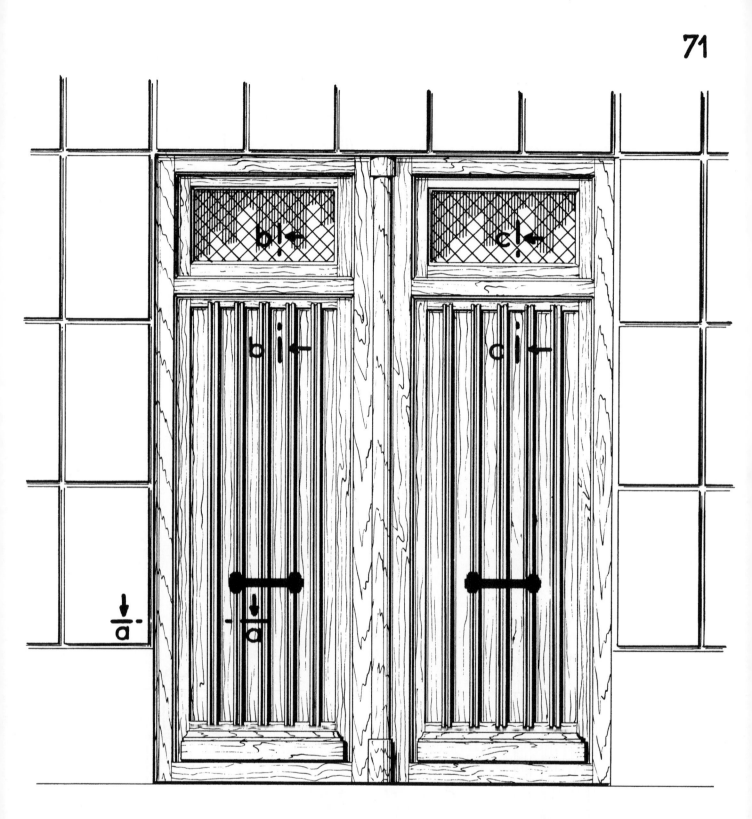

Échelle : 0,05

Coupe a

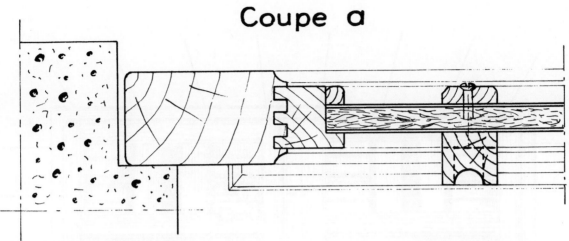

Coupe b

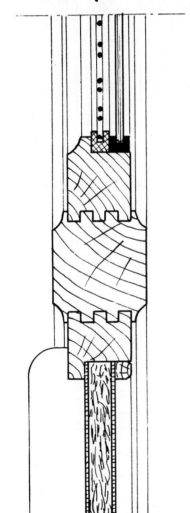

Coupe c

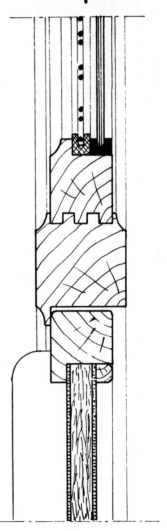

Échelle : 0,25

72

Échelle : 0,05

Section a

Section b

Section c

Échelle : 0,25

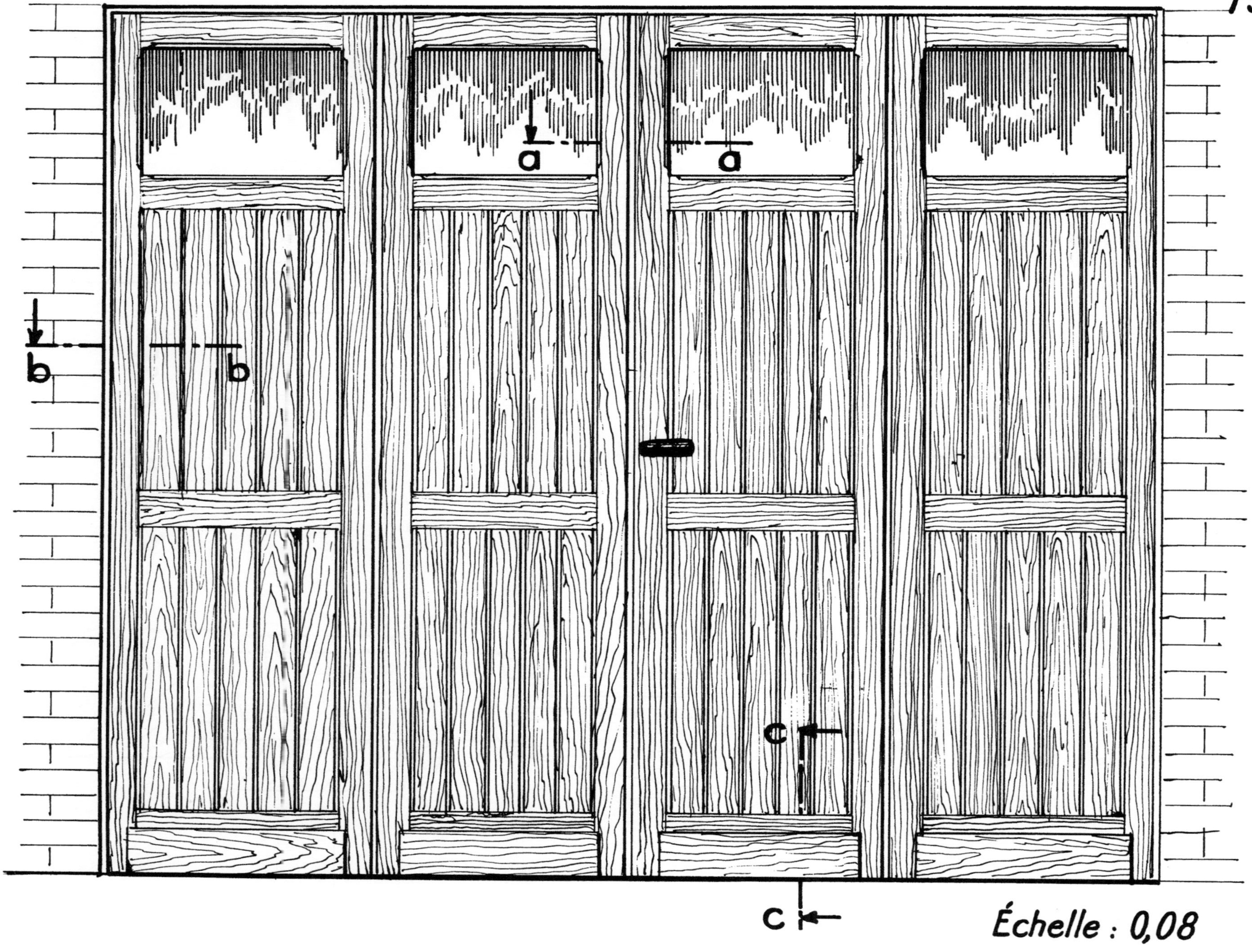

73

a

a

c

c

b

b

Échelle : 0,08

Section a

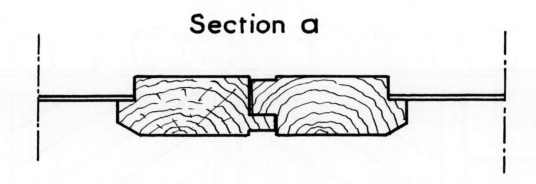

Portes repliées

Section c

Section b

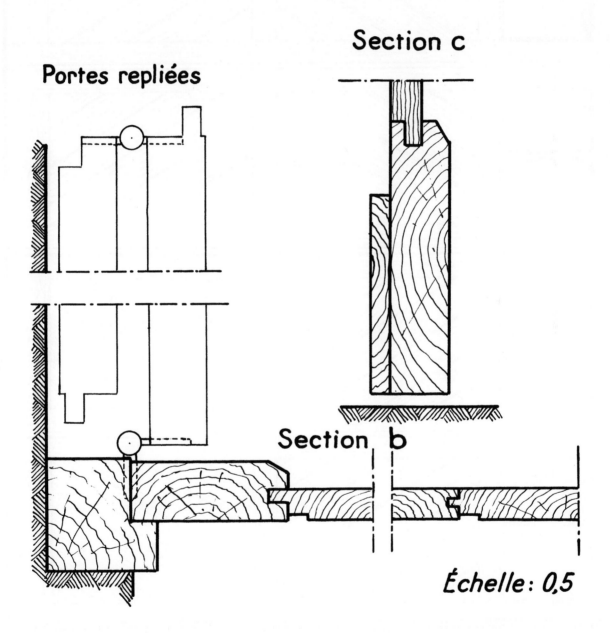

Échelle: 0,5

74

Échelle : 0,08

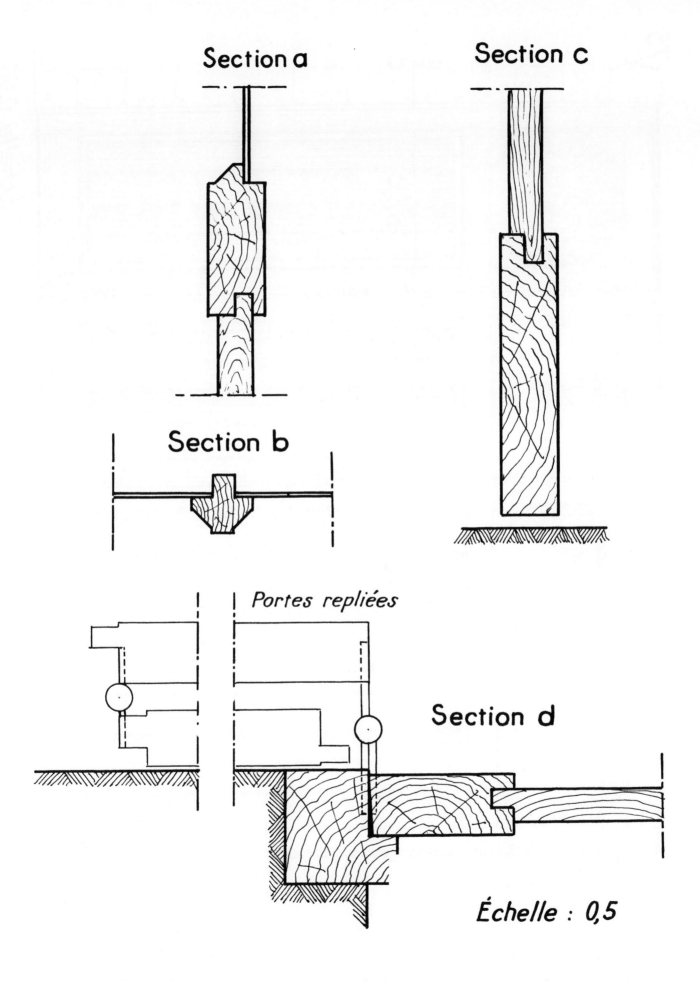

Section a

Section c

Section b

Portes repliées

Section d

Échelle : 0,5

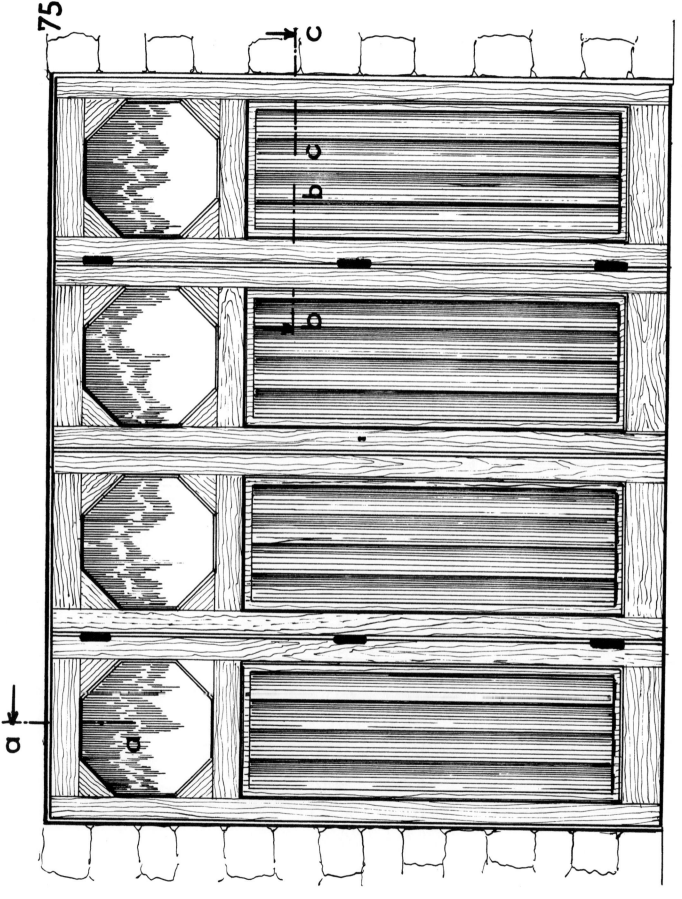

75

c

c

b

b

a

d

Échelle 0,08

Section a

Section b

Section c

Portes repliées

Échelle 0,5

76

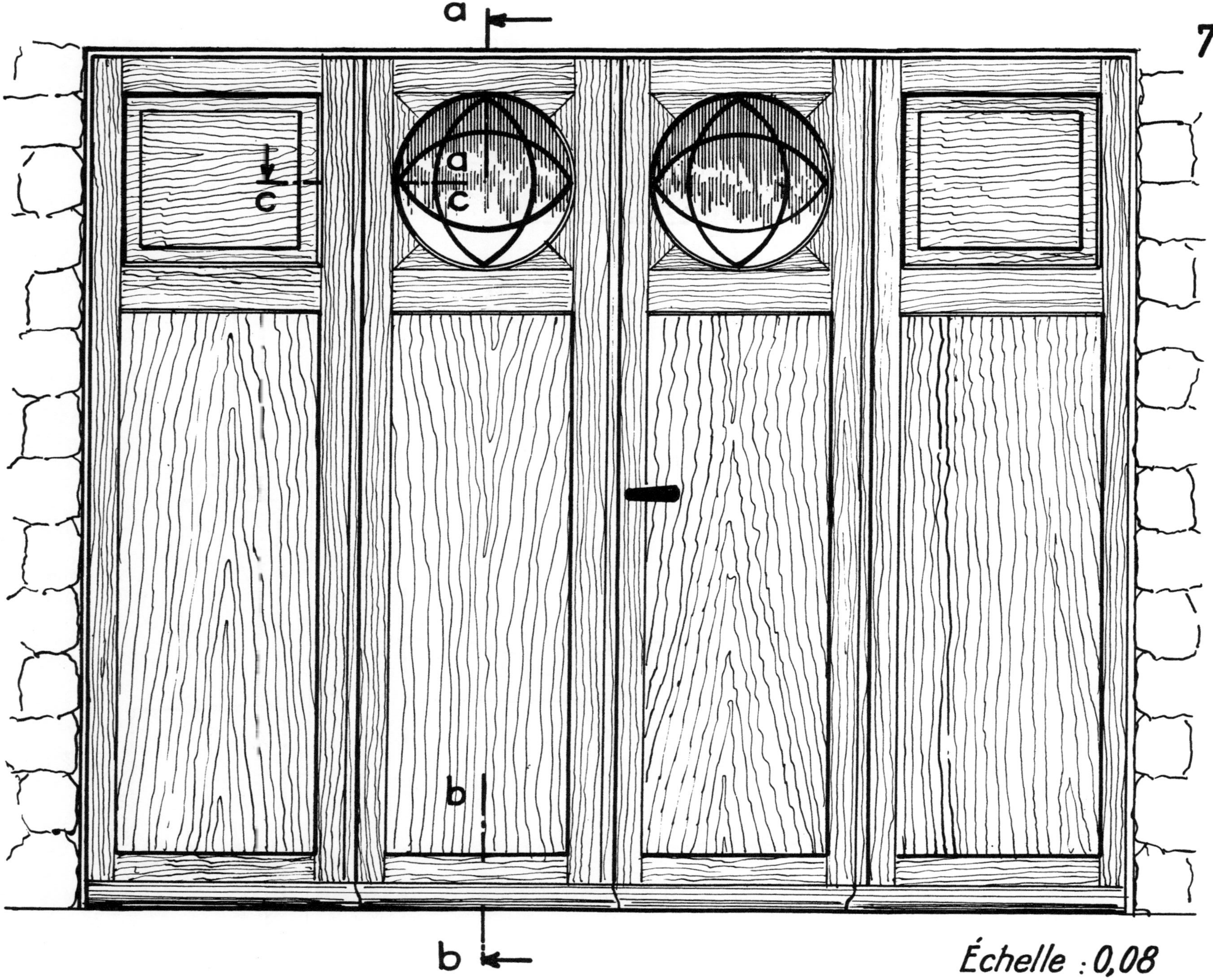

Échelle : 0,08

Section a

Section b

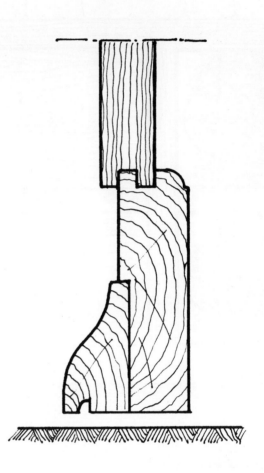

Section c

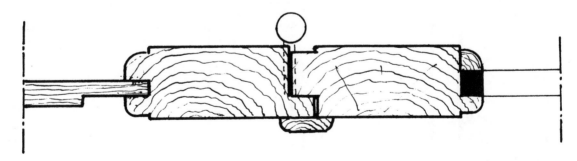

Échelle : 0,5

77

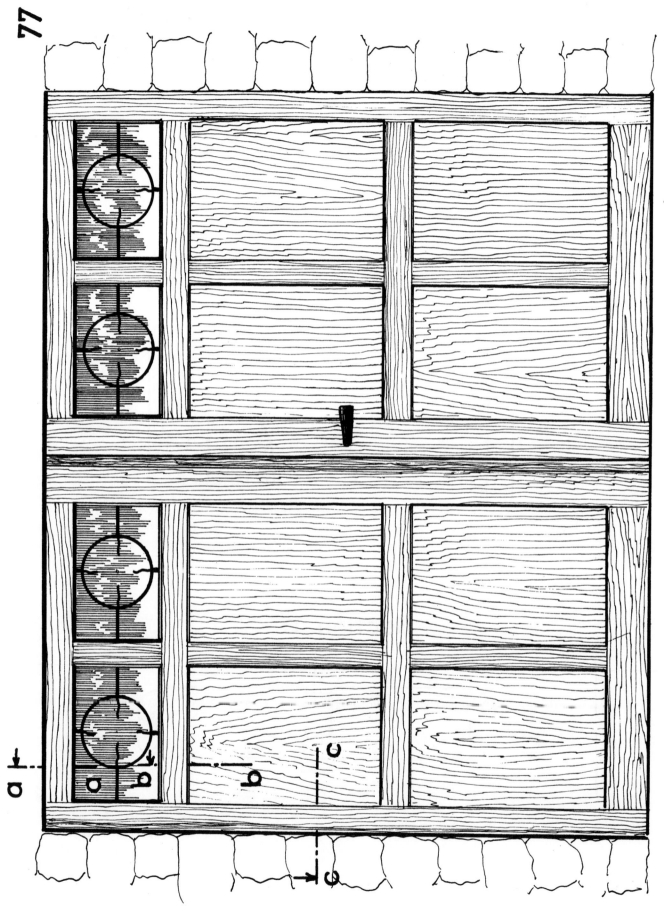

Échelle : 0,08

a

a

b

b

b

c

c

Section a

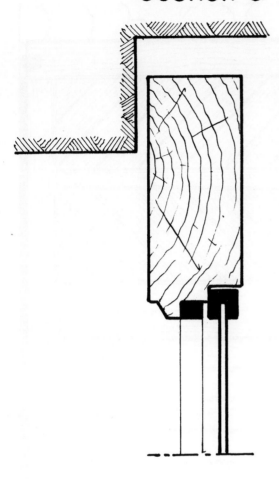

Section b

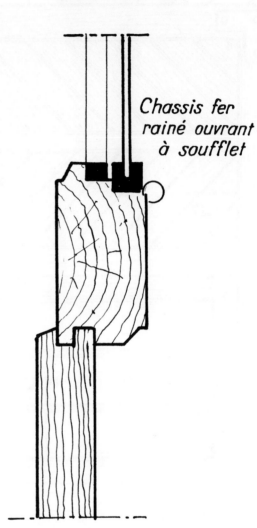

Chassis fer rainé ouvrant à soufflet

Paumelle à boule soudée sur équerre

Section c

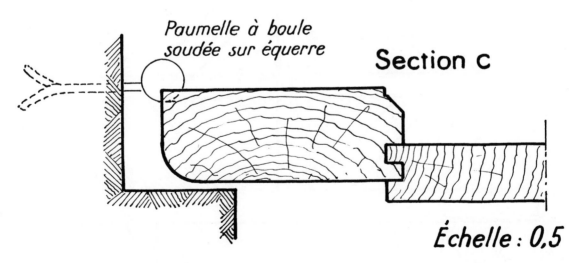

Échelle : 0,5

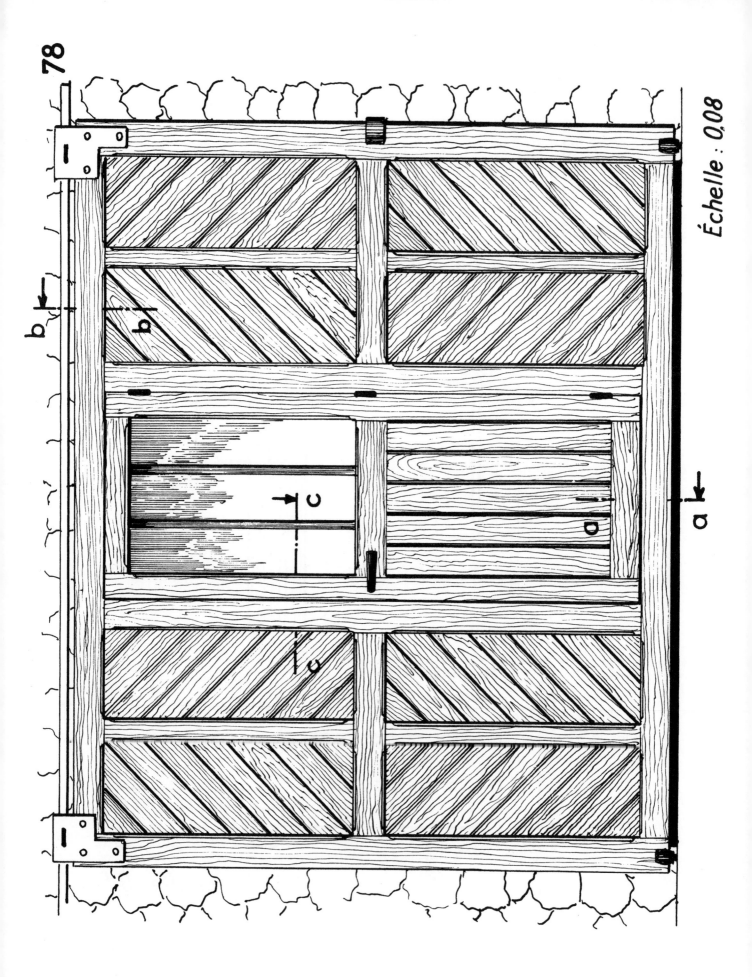

78

Échelle : 0,08

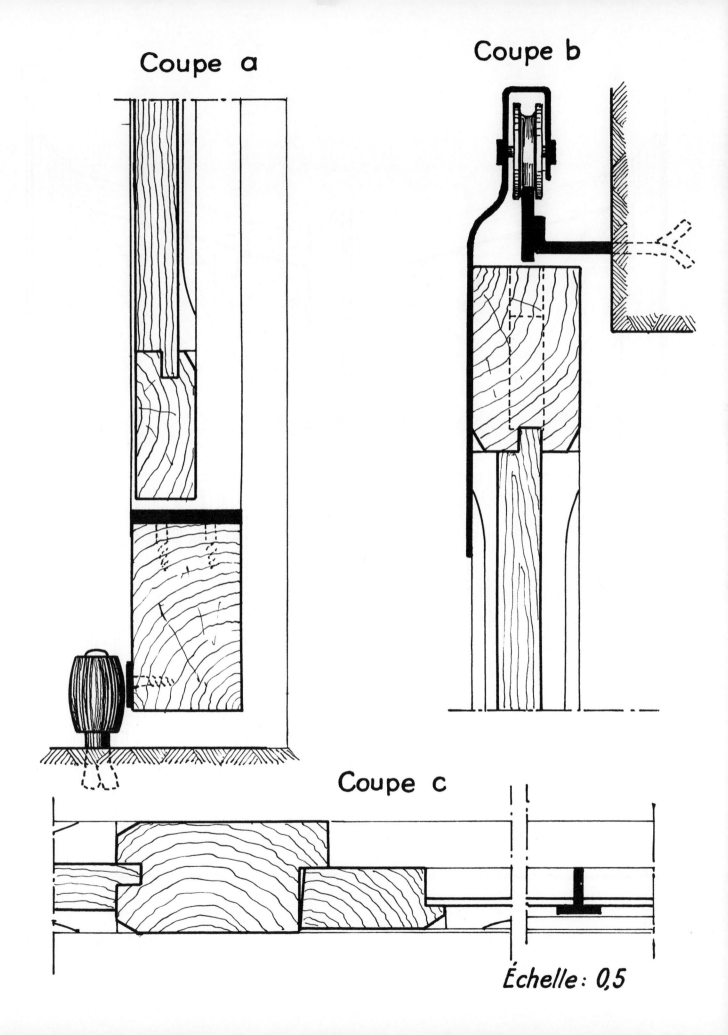

Coupe a

Coupe b

Coupe c

Échelle: 0,5

b

b

a

a

c

c

Échelle : 0,05

Coupe a

Coupe b

Coupe c

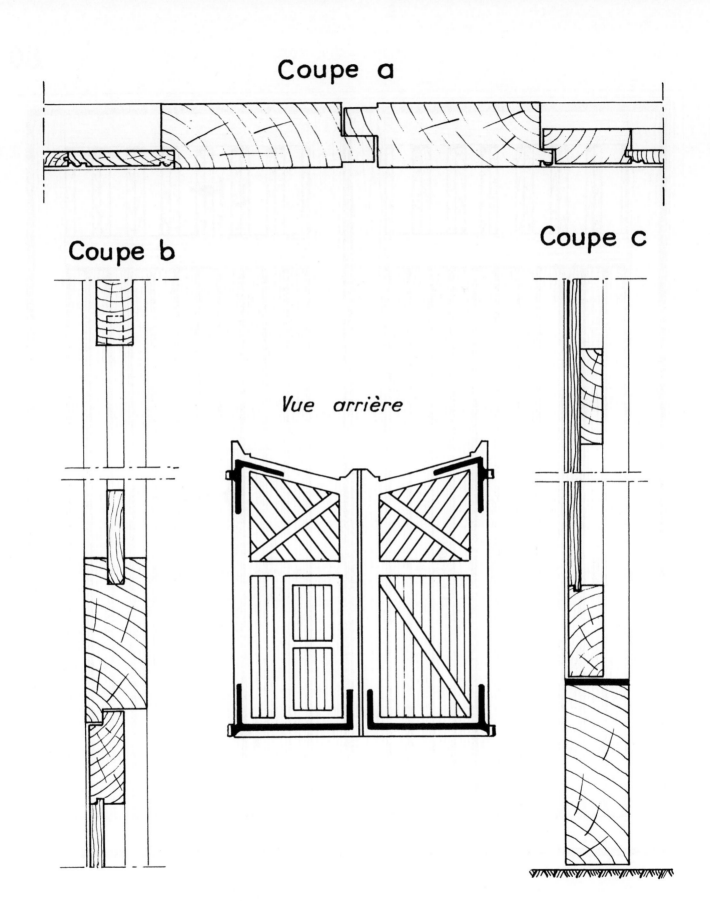

Vue arrière

Échelle : 0,25

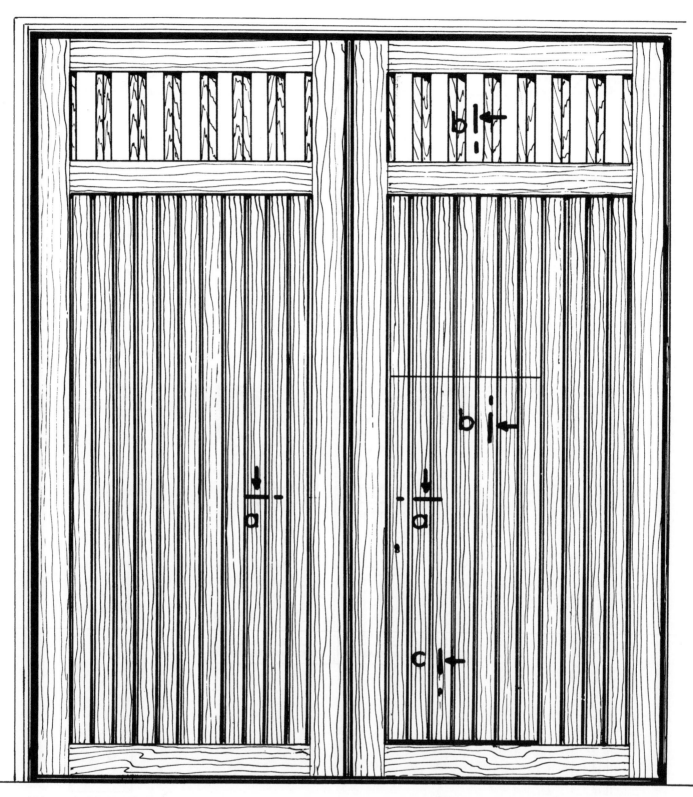

Échelle : 0,05

Coupe a

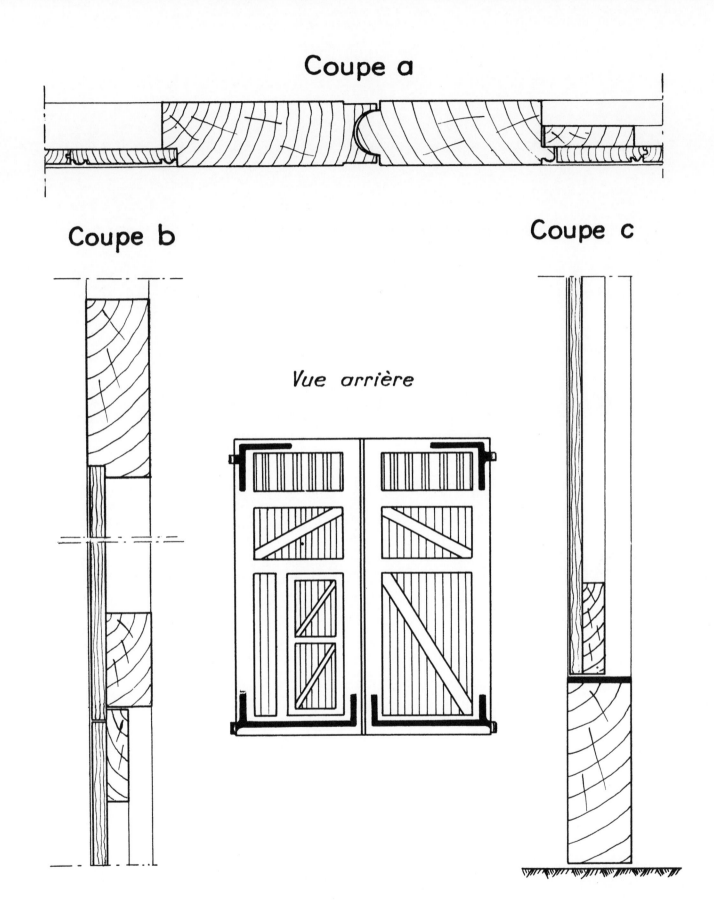

Coupe b

Coupe c

Vue arrière

Échelle : 0,25